KB161850

논·술·세·계·대·표·문·학

40

주홍 글씨

나다니엘 호손 | 이주혜 엮음

훈민출판사

초원의 버펄로 – 호손이 실
당시의 미국 서부 지역에는
펄로 떼가 많이 살았다.

The Best World Literature

영화로 만들어진 〈주홍 글씨〉의 한 장면

세일럼의 세관 – 호손은 1846년부터 4년 동안
세일럼의 세관원으로 일했다.

올드 코너 서점 – 보스턴에 있는 서점으로 호손, 에머슨,
롱펠로 등의 문인들이 자주 모인 장소이다.

세일럼의 박물관 – 호손이 자주 갔던 곳이다.

나사니엘 호손

미국 의회 의사당 – 호손은
국의 대통령 프랭클린 피어슨
절친한 사이였다.

The Best World Literature

호손이 결혼 후에 살았던 집

기획·감수

구인환(丘仁煥)

서울대학교 사범대학 졸업. 동 대학원 졸업(문학박사)
서울대학교 명예교수, 소설가(현). 서울대학교 사범대학 국어교육연구소 소장(현)
문학과문학교육연구소 소장(현). 국제펜 한국본부 부회장(현)
한국소설문학상(1987). 예술문화대상(1994). 한국문학상(2000)
작품 〈숨쉬는 영정〉, 〈살아 있는 날들〉, 〈일어서는 산〉 외 다수

- **저서** 《한국단편소설의 이해》, 《한국현대소설의 비평적 성찰》,
 《고교생이 알아야 할 소설》, 《고교생이 알아야 할 세계단편소설》 외 다수

윤병로(尹柄魯)

성균관대학교 국어국문학과 졸업. 동 대학원 졸업(문학박사)
성균관대학교 교수, 문학평론가(현). 한국현대소설학회장(현)
한국문예학술저작권협회 이사(현). 한국간행물윤리위원회 위원(현)
한국펜 문학상(1987). 한국문학상(1988). 대한민국문학상(1989)
수필집 《나의 작은 애인들》 외 다수

- **저서** 《현대 작가론》, 《한국 현대 소설의 탐구》,
 《한국 근대 작가 작품 연구》, 《한국 현대 작가의 문제작 평설》 외 다수

홍성암(洪性岩)

고려대학교 국어국문학과 졸업. 한양대학교 대학원 국어국문학과 졸업(문학박사)
동덕여자대학교 교수, 소설가(현). 한국문인협회 회원(현)
한국소설가협회 이사(현). 국제펜 한국본부 소설분과 이사(현). 한민족 문화학회 회장(현)
창작집 《큰 물로 가는 큰 고기》, 《어떤 귀향》 외
대하역사소설 《남한산성》 (전9권) 외 다수

- **저서** 《문학의 이해》, 《현대 작가론》, 《한국 근대 역사소설 연구》 외 다수

워싱턴 대법원 – 호손이 살던 시대는 미국의 건국 초기로, 국가의 기틀을 다지는 데 전념하던 때이다.

논술 세계대표문학을 펴내며

21세기의 사회는 **'전자 문명 시대'** 라 일컬어질 만큼 오늘날 전자 산업은 우리 생활의 거의 모든 분야에 다양하게 응용되고 있습니다. 출판 분야 또한 예외는 아니어서, 종래의 서책(Book) 대신에 이른바 '전자책(CD-ROM)'의 출간이 최근 들어 날로 증가하고 있습니다.

그러나 이러한 전자책은 영상 또는 모니터상으로 흥미 위주나 백과사전식 지식을 습득하는 데는 효과적일지 모르지만, 문학 공부를 위해서는 별로 도움이 되지 않습니다. 바꾸어 말하면, 문학 공부는 각 지면마다 살아 숨쉬는 표현 하나하나를 독자 자신의 머리로 음미하면서 작품을 읽어 나가는 가운데, 풍부한 상상력의 배양과 함께 작가의 의도와 그 작품의 내면을 깊이 있게 이해함으로써 이루어지는 것입니다.

이에 훈민출판사에서는, 자라나는 학생들이 범람하는 영상 매체에 길들여지기 전에, 어려서부터 유명한 세계문학 작품들을 책자를 통하여 감명 깊게 읽고 감상함으로써, 올바른 문학 공부의 기틀을 다지고, 아울러 전인 교육도 할 수 있도록 《논술 세계대표문학(전60권)》을 펴내게 되었습니다.

작품 선정은, 초 · 중 · 고등학교 국어 교과서와 역사 교과서에 실리거나 소개된 문학 작품을 중심으로 하되, 그리스 신화와 성경 이야기 등의 고전에서부터 중세 · 근대 · 현대에 이르기까지 세르반테스 · 셰익스피어 · 톨스토이 등 세계 유명 작가들의 장 · 단편 소설들을 엄선 · 수록하였습니다. 또 세계의 명시도 별권으로 엮었으며, 특히 각 단락마다 **'논술 문제'** 를 제시하여, 장차 대학입시를 비롯한 각종 '논술 고사'에 예비 지식을 쌓을 수 있도록 배려하였습니다. 아무쪼록, 이 《논술 세계대표문학(전60권)》이 자라나는 학생들에게 문학 공부의 주춧돌이 되고, 나아가 미래를 살아가는 데 **정신적 자양분**이 되기를 진심으로 바라 마지않습니다.

훈민출판사

차례

호 손

지은이

1804~1864년. 미국 매사추세츠 주 세일럼에서 출생. 1825년 보든 대학을 다니면서 나중에 미국 대통령이 되는 프랭클린 피어스와 친구가 되었다. 대학을 졸업하고 나서는 고향으로 돌아가 창작에 전념하기 시작하였다. 이 때 익명으로 많은 작품을 발표했지만 이렇다 할 관심은 받지 못했다.
1846년 세일럼 세관의 검사관으로 근무하면서 〈주홍 글씨〉를 쓰기 시작하여 몇 년 후에 발표했는데 대단한 인기를 불러일으켰다. 1864년 60세의 나이로 프랭클린 피어스와 뉴햄프셔를 여행하던 중 세상을 뜨고 말았다.

주홍 글씨

목조 감옥

새로운 곳을 개척하려는 사람들에게도 감옥을 만들어야 한다는 사실은, 별로 기분 좋은 일은 아니지만 필요한 일들 중 한 가지였다.

보스턴 시에는 모범적인 개척자들의 무덤과 더불어, 목조 건물인 감옥이 오래된 세월을 상징한 채 머물러 있었다. 대부분 넉넉하지 못한 초라한 형편의 사람들이 무리 지어 모여서, 호기심 어린 눈길로 한 곳을 바라다보았다. 지금으로부터 몇백 년 전, 막 여름이 시작될 무렵이었다.

"어휴, 왜 이렇게 더딜까?"

"그러게 말이야. 난 좋은 구경거리가 있다고 해서, 아침밥도 못 먹고 서둘러 나왔어."

머리에 수건을 질끈 동여맨 여인들이 두 눈을 번득이며, 조바심을 내면서 옆에 있는 사람들과 이야기를 나누었다. 작업복을 걸친 사나이들과 여인들은, 녹슨 쇠못을 박아 놓은 목조 감옥의 문이 열리기만을 기다리는 중이었다. 오래된 감옥 주변에는 이름 모를 들꽃과 함께 찔레꽃 덩굴이 무성히 피어 있었다.

구경꾼 중에 각이 진 모자를 매만지며 회색 옷을 입은 한 사나이가, 거기 모인 사람들 틈을 비집고 앞으로 나아가려고 할 때였다.

"이봐요!"

목소리만 들어서는 마치 남자인 듯한 우람한 체격의 한 여인이, 앞쪽으로 향하려는 사나이를 불러 세웠다.

"당신은 양심도 없어요? 뒤로 가세요!"

"뭐라고? 이런……."

사나이는 무언가 대꾸를 하려다가, 떡 벌어진 어깨에 힘이 좋아 보이는 여인의 체격에 그만 기가 질려 입을 다물고 말았다. 개척 시대의 여인들이란 요즘의 여자들 모습과는 성격이 달랐다. 남성들 못지않은 일을 해내야 했기 때문에, 순한 성질보다는 드센 성격의 소유자가 많았다. 그들의 조국인 영국을 떠나 새로운 곳을 찾아 건너온 사람들이라, 몸으로 부딪쳐 헤쳐 나갈 일이 대부분이었기 때문이었다.

이 곳의 사람들은 그들을 다스리는 법과 함께, 생활의 많은 부분을 종교에 의지하며 생활하고 있었다. 그들에게 정해진 규율을 어김으로 해서, 사람들에게 비웃음을 사는 것을 매우 두려워할 정도였다. 몸에 어떤 형벌이 가해지는 것보다도, 여러 사람들에게 소외당하는 일이 가장 견디기 힘든 벌이었다. 그들의 웃음거리가 될 만한 대상이 아직 감옥문 밖으로 모습을 드러내지 않자, 뚱뚱한 몸에 양볼이 발그스름한 나이든 여인이 말문을 열었다.

"난 이번 일을 이해할 수가 없어요. 내 나이가 쉰 살이 넘었으니 모진 세월을 겪을 만큼 겪었고, 그 동안 남의 입에 오르내릴 만한 일을 한 적이 내 기억으로는 없다고 믿고 있어요. 그래서 하는 말인데, 저 헤스터 프린이 죄의 대가를 너무 약하게 받고 있다고 생각지 않나요? 교회의 신자로서 저렇게 부정한 짓을 한 여자에게 판사님들의 처분이 너무 관대한 것 같아요. 내게 그녀를 처벌해도 좋다는 허락이 떨어진다면, 저 정도로 놔두진 않을 거야. 아마도 악마의 탈을 쓴 헤스터가 잠시 무슨 마술을 부려, 판사님들의 정신을 흐리게 했는지도 모르지."

탐욕스런 두 눈을 가진 나이 든 여인은, 마치 헤스터에게 이전에 무슨 격한 감정이라도 가졌던 사람처럼 씩씩대며 흥분하여 손짓을 했다.

주위에 있던 한 여인이 맞장구를 치며 나섰다.

"맞아요. 저 부정한 여자는 선한 딤스데일 목사님의 명성에 먹칠을 했어. 목사님은 이런 일이 일어난 것에 대해 몹시 힘들어하고 계시다는 거야."

"그랬군. 인자하신 딤스데일 목사님께서 요즘 들어 안색이 좋지 않은 것 같았는데, 저런 여자에게 간단한 표지 하나만 달랑 달아 준다는 것은 너무도 가벼운 형벌이야. 내가 판사라면 저 여자의 어깨에 뜨겁게 달군 쇠로, '부정한 여인' 이라는 글자를 새겨 주었을 텐데. 천사 같은 얼굴로 감쪽같이 사람들을 속인 것으로 봐선, 그까짓 헝겊 따위는 저 여자에게 아무렇지도 않을 거야. 시간이 흐르면 부정의 표지인 헝겊을 자연스럽게 가리고 다니면서, 언제 그런 일이 있었나 싶게 뻔뻔해질 게 분명해."

선량한 딤스데일 목사님의 마음을 어지럽힌 데 대한 분노를 가지고 있던 또 한 여인은, 마음속에 품고 있던 독한 말을 거르지 않고 쏟아냈다. 목조 감옥 앞에 모인 여인들의 험담이 끝없이 계속되자, 아이를 업고 있던 한 여인이 동정심을 앞세우며 한 마디 거들었다.

"헤스터가 부정한 짓을 한 것은 사실이지만, 자신이 받은 형벌을 아무렇지도 않게 생각할 정도로 뻔뻔하지는 않을 거예요. 시간이 흐른 뒤에 가슴에 붙인 표지야 마음만 먹으면 가려질 수 있겠지만, 마음속에 남겨진 상처는 쉽게 지울 수가 없을 텐데……."

"흥, 어깨에 불도장을 새기든 가슴에 표지를 달든, 그건 모두 소용없는 짓이에요."

아기를 업고 있던 여인의 동정어린 시선에, 이제까지 잠자코 있던 한 여인이 콧방귀를 뀌며 찬바람이 일 정도로 모질게 툭 쏘아붙였다.

"저 여자가 한 짓으로 봐선 당장 죽여야 해요. 우리가 잘 알고 있는 성경에도 나와 있지 않아요? 게다가 내가 알기로는 법률에도 그렇게 하도록 명시되어 있는데, 어째서 저렇게 놔두는 건지 모르겠어. 이번 일을 엄하게 처리해야만, 다시는 이런 불미스러운 일이 일어나지 않는다는 것을 왜 판사님들은 모르시는 거야. 판사님들은 아내와 딸들이 이런 일을 저지르게 된다고 할지라도 어쩔 수가 없을 거야."

저주의 말을 막 마친 여인의 얼굴엔 웃음이라곤 찾아볼 수 없을 정도로 굳어 있었다. 험담을 늘어놓는 여인들의 말소리가 귀에 거슬리는 듯 한 사나이가 뒤를 돌아다보았다.

"참 너무하시는군요. 같은 여자끼리 동정은 못할망정, 그런 험악한 말을 마구 지껄이고 있으니!"

"뭐요?"

핀잔을 받은 한 여인이 다시 그 사나이의 말에 대꾸하려는 찰나였다.

"아, 저길 좀 봐요! 드디어 열릴 것 같지 않던 감옥문이 열리는군."

"저기 간수의 모습이 보여요!"

육중한 감옥문이 힘겹게 열려지며, 인정이라곤 얼굴 어느 한구석에도 없는 차가운 인상의 간수가 한 여인의 어깨를 잡아끌었다. 그 곳에 모인 사람들은 침을 꿀꺽 삼키며, 여인의 작은 행동 하나하나를 놓치기라도 하면 안 된다는 생각으로 유심히 지켜보았다.

"저 여자가 품에 안고 있는 아기가 그 불행의 씨앗이군!"

"쯧쯧, 어미를 잘못 만난 탓에 아기까지 감옥 생활을 하는구만."

감옥에서 밖으로 끌려나온 여자는, 사람들이 웅성대는 곳에 이르러서 간수의 손길을 뿌리치고는 품 안의 아기를 꼭 끌어안았다. 아기는 갑자기 환한 곳으로 나오자, 아직 익숙하지 않은 느낌이 들었는지 엄마의 품속으로 얼굴을 돌렸다. 밖으로 나온 여자 역시, 조금 전 간수의 억센 손을 밀치던 그 때의 당당함은 어디로 사라졌는지, 몸을 움츠리며 긴장하는 빛이 역력했다.

자신의 가슴에 달린 부정의 표지가 여러 사람 앞에 드러나자, 두려운 마음에 안고 있던 아기를 다시 한 번 가슴 쪽으로 끌어당겼다. 하지만 그것도 잠시뿐이었다.

'그래, 내가 당장 이 부정의 표지를 감춘다고 저 호기심이 가득한 사람들이 모를 리 없겠지. 아니, 이 표지를 보자고 몰려든 사람들이니 당당하게 보여 주도록 하자. 내 아이 역시 부정한 짓을 저질러 태어난 아기인데, 무얼 가리고말고 할 게 있을까?'

이렇게 작정한 여자는 마음을 고쳐 먹고, 사람들을 천천히 살펴보았다. 그 곳에 모인 사람들 역시, 여자의 가슴에 붙인 A라는 글자에 눈길을 보냈다. A라고 수놓은 붉은 헝겊의 가장자리는, 누가 봐도 훌륭한 솜씨로 마무리했기 때문에, 옷의 한 부분인 듯이 드러나지 않게 가슴에 달려 있었다.

여자는 훤칠한 키에 천박하지 않은 고상한 모습을 하고 있었다. 윤기 흐르는 머릿결과 나무랄 데 없는 눈, 코, 입에 매끄러운 피부는 그 곳에 모인 어느 여자라도 부러워할 만한 것이었다.

"어머, 저 여자 좀 봐. 부끄러운 기색이라곤 눈을 씻고 찾아봐도 볼 수가 없어."

"그러게. 몇 개월 동안이나 감옥에서 지내다가 나온 사람의 얼굴이 아닌 것 같아. 마음속은 어떨지 몰라도, 조금은 반성하는 낯빛으로 우리들 앞에 나타났어야 하는 게 아닌가?"

감옥 앞에 몰려 있던 여인들은 처절한 모습으로 나타날 줄 알았던 부정한 여인이, 오히려 아름다운 자태로 그들 앞에 당당히 서 있는 것을 보고 마음 한편에 질투심이 불같이 일어나기 시작했다.

하지만 헤스터의 마음속은, 그 곳에 모인 그녀들이 상상하는 만큼 자신만만한 것은 결코 아니었다. 헤스터가 감옥에서 정성스럽게 만든 주홍 글씨의 화려한 헝겊이, 그 여자와 사람들 간에 거리를 만들어 그렇게 느끼도록 했을지도 몰랐다. 주홍 글씨의 표지를 뚫어져라 쳐다보던 한 여인이, 혼잣말을 하듯 중얼거렸다.

"듣던 대로 바느질 솜씨가 보통이 아니야."

"흥, 지금 무슨 소리를 하는 거야? 저 여자는 지금 무언가 큰 착각을 하고 있는 것 같아. 부정의 표지를 저렇게 화려하게 수를 놓아 여러 사람들에게 선보이고 있다니……. 자신이 무엇 때문에 저 곳에 서 있는지도 모르는 거 아냐?"

조금 전, 헤스터를 동정어린 눈길로 바라다보았던 여인이 나서서 한마디 했다.

"그렇지 않을 거예요. 저 여자 역시 부정의 표지를 바느질할 때 자신의 행동을 뉘우치는 심정으로, 한땀 한땀 정성스럽게 수놓았을 게 틀림없어요."

사람들이 저마다 한 마디씩 하며 웅성거리고 있을 때, 헤스터를 끌고 나왔던 간수가 큰 소리를 질렀다.

"자, 옆으로 좀 비키시오! 이 여자를 실컷 구경하려면, 광장의 처형장으로 오시오. 앞으로 오후 1시까지 이 여자를 그 곳에 세워 둘 테니 말이오."

간수는 구경꾼들에게 그렇게 외치고는, 비열한 웃음을 지으며 헤스터를 향해 나지막이 속삭였다.

"후후, 내 말 잘 들었겠지. 네가 만든 주홍 글씨를 사람들이 잘 볼 수

A

있도록 장소를 옮겨가는 거야."

옆구리에 차고 있던 긴 막대기를 사방으로 휘두르며 앞장선 간수의 뒤를 따라, 헤스터는 품에 안은 아이가 놀라지 않게 살며시 안은 뒤, 발걸음을 옮겼다. 그녀가 그 곳을 떠나 처형대가 있는 곳으로 발길을 돌리자, 구경꾼들도 삼삼오오 짝을 지어 그 뒤를 따랐다. 구경 나온 엄마를 따라온 아이들은 무슨 일인지도 모르고, 신이 나서 이리저리 뛰어다니며 좋아했다.

마음의 평정을 유지하려 애쓰는 헤스터였지만, 지금 걸어가고 있는 길이 너무도 고통스러웠다. 광장의 처형대가 있는 곳까지 가는 길은 멀지 않았지만, 그 동안의 사람들의 수군거림과, 마치 자신을 짓밟고 가기라도 하는 것 같은 거센 발걸음 소리는 그녀의 온몸을 뒤흔들어 놓았다.

지금 처한 상황은 오히려 나을지도 몰랐다. 얼마 후에 겪게 될 미래의 불안이 그녀의 마음을 흔들었지만, 겉으로는 아무렇지도 않은 표정으로 묵묵히 간수의 뒤를 따랐다.

어느덧 처형대가 있는 곳까지 다다른 그녀는, 문득 고개를 들어 그 곳을 바라다보았다. 원래 처형대는 죄를 지은 사람들에게 틀로 짜여진 도구에 목을 집어넣고, 가혹한 행위를 벌인 장소였다. 하지만 헤스터에게 주어진 벌이란 것은 여러 사람 앞에서 창피를 주자는 목적이었기 때문에 정해진 시간만큼 그 위에 서 있으면 되었다.

'이제 저 곳으로 올라가서 여러 사람들이 나를 실컷 비웃도록 하면 되겠지.'

주저하는 기색도 없이 그녀는 곧장, 처형대가 있는 곳의 계단을 조심스럽게 한 걸음 한 걸음 밟아 올라가고 있었다. 헤스터는 처형대의 중앙에서 발걸음을 멈춘 뒤에야 비로소, 그 곳에 모인 사람들을 내려다볼

수 있었다. 구경꾼들은 그녀가 상상했던 얼굴 표정을 하고 있지 않았다.

'아, 왜 저들은 저렇게 쥐죽은 듯이 가만히 있는 걸까? 오히려 소리 내어 나를 비웃고 수군거리면 내 마음이 더 편안하련만.'

그녀의 느낌대로 그들은 마치 교회 목사의 설교를 들으러 온 것처럼 조용하여 엄숙한 기분마저 들게 했다. 그들 역시 헤스터만큼이나 이 상황에 당황하고 있었던 것이다. 그녀가 아기를 안고 처형대에 오르는 모습은, 마치 위대한 어머니가 자신의 생명과도 같은 분신인 아기를 위험으로부터 보호하려는 성서 속 장면 같다고 느꼈다.

그 곳에는 헤스터와 그녀를 구경하려는 사람들 외에도, 광장의 훤히 내려다보이는 건물의 발코니에 또 다른 사람들이 있었다. 그들은 이른바 사회적인 지위를 가진 총독과 판사, 사령관, 목사들이었다. 그들 역시 이 광장에 모인 군중들만큼이나, 이 타락한 여인에게 관심이 많았다.

쾌활하고 활기찬 성격의 여인은, 이 냉엄한 분위기에 익숙하지 못한 탓으로 얼굴을 찡그리며 힘들어했다. 그녀가 이 자리에서 쓰러지지 않고 몸을 지탱하고 있으려면, 눈에 보이는 것들을 외면해 버려야만 했다. 이런 생각이 머릿속을 스쳐 지나가자, 그녀의 눈앞에는 지나온 과거의 일들이 마치 어젯일인 것처럼 아른거렸다.

그녀가 태어난 고향인 영국에서 즐겁게 뛰놀고 있는 어린 시절부터 떠오른 기억은 부모님의 인자하신 모습으로 옮아가고 있었다. 그 당시 여인의 집은 보잘것없는 허름한 곳이었으나, 전통 있는 가문임을 상징하는 표지가 집 안 곳곳에 어려 있었다.

엘리자베스 시대의 옷차림이라고 기억되는 복장을 한 아버지의 모습과 더불어, 항상 따뜻한 눈길로 지켜봐 주시던 어머니의 모습도 보였다. 그 가운데 예쁜 거울을 손에 꼭 쥔 채, 열심히 거울 속을 들여다보고 있는 자신을 발견할 수 있었다.

'아, 그 시절로 돌아갈 수만 있다면 얼마나 좋을까?'

헤스터가 그 때를 그리워하는 순간, 거울 속에 비친 또 다른 얼굴이 보였다. 그는 그녀보다 훨씬 더 나이가 많아 보이는 사나이로, 현실 세계와는 동떨어진, 책 속에만 묻혀 사는 사람이었다.

'그래, 그 사람은 아마 몸이 몹시 말랐던 것 같아. 게다가 한쪽 어깨가 다른 쪽보다 표나게 올라간 모습이었어.'

그녀의 머릿속에 떠오른 또 다른 것은 그 사나이와 함께 지낸 유럽의 어느 마을이었다. 그 근처에는 특이한 건축 양식을 한 건물들이 늘어서 있었던 것 같았다.

품에 안고 있던 아기가 넋을 잃고 있는 그녀를 깨우기 위함인지, 몸을 바스락거리는 통에 번쩍 정신이 들었다. 현실로 돌아온 그녀 앞에는 많은 사람들이 몰려 있었고, 자신은 한 어린아이를 품에 안고 있었다.

'잠시 꿈을 꾼 모양이군. 그래, 난 지금 저들 앞에서 벌을 받고 있었지. 이 곳이 내가 있어야 할 자리였구나.'

헤스터는 다시 한 번 현실로 돌아온 자신을 확인하기 위해, 자신이 달고 있는 부정의 표지를 보기 위해 가슴을 더듬었다.

그녀의 가슴에는 분명 주홍 글씨가 새겨져 있었고, 팔에는 부정의 결과인 어린아이가 놓여 있었다.

괴로운 만남

영국의 식민지인 이 곳에서 이런 모습으로 서 있는 헤스터의 인생에 더 이상 놀랄 만한 일은 일어나지 않을 것 같았다. 하지만 아직 신의 판결은 끝나지 않은 듯했다. 과거의 일을 회상하던 그녀가 처형대에 서 있는 자신의 모습으로 돌아온 뒤, 우연히 둘러본 구경꾼들 틈에서 낯익은 사람을 발견했던 것이다.

'앗! 저 사람은…….'

낯빛이 하얗게 질려 버릴 만큼 놀란 그녀의 눈은, 어딘가에 고정되어 더 이상 움직일 줄을 몰랐다. 많은 구경꾼들 틈에 끼여 있는 두 인디언들 사이에, 기이한 옷차림을 한 사나이가 서 있었다. 그 남자는 그리 크지 않은 키에 학자다운 느낌이 드는 얼굴빛을 하고 있었으며, 몸에 걸친 옷은 자신의 신체적 결함을 사람들에게 보이고 싶지 않으려는 의도로 엉성하게 차려 입은 듯했다.

'저 한쪽이 표나게 기운 듯한 어깨를 봐서는, 내가 알고 있는 사람이 틀림없어. 아, 앞으로 내게 어떤 일이 일어나려는 걸까?'

이 사나이는 헤스터가 그를 알아보기 전에, 벌써 그녀를 발견하고는 몹시 놀라워했다. 변할 것 같지 않던 굳은 얼굴 표정이 점점 일그러져 갔다. 하지만 내면의 세계를 좀처럼 남에게 보여 준 일이 없는 그는, 옆의 인디언들이 눈치채지 못하도록, 아니 그 곳에 모인 어느 누구도 알 수 없도록 이내 얼굴빛을 바로잡았다.

구경꾼들 틈에 서서 아무렇지도 않게 그녀를 바라보던 그 사나이는, 헤스터의 눈길이 자신에게 머문 것을 눈치챘다.

'흠, 그렇다면 나도 손을 들어 답을 해야겠군.'

사나이는 분한 마음을 가라앉힌 채, 비열한 미소를 머금고 손을 들어 허공에다 원을 그린 다음 자신의 입술에 손을 댔다.

"초면에 실례입니다만, 뭘 좀 물어 봐도 되겠소?"

조금 떨어진 곳에 서 있는 한 마을 사람을 향해, 사나이는 나지막이 물었다.

"보아하니 이 고장 사람 같지는 않은데, 궁금한 것이 있나 보군요?"

"예. 처형대 앞에 선 여자는 무슨 잘못을 했기에 저런 벌을 받고 있는 건가요?"

구경꾼들 중 한 사람은, 사나이 곁에 서 있는 인디언들을 위아래로 훑어보며 대답을 해 주었다.

"헤스터 프린이라는 저 여자는, 우리들이 존경하고 있는 딤스데일 목사의 교회에서 부정한 일을 저질렀기 때문에 저런 벌을 받고 있는 것이오."

"그랬군요. 저는 여러 곳을 돌아다니던 중 예기치 못했던 일을 많이 겪었소. 인디언들에게 구조되기는 했지만, 그들은 내 몸값을 요구하는 중이오. 조금 전에 말씀하셨던 헤스터 프린이라는 저 여자에 대해 좀더 알고 싶은데, 이야기를 들려주실 수 있나요?"

사나이는 일단 자신의 이야기를 마을 사람에게 들려줌으로 해서, 낯선 자에 대한 의심의 눈초리를 풀 수가 있었다.

"이 곳으로 오게 된 것은 참 잘한 일이오. 여기는 좋지 못한 일을 하는 사람은 가차없이 판사님과 일반 시민들에게 벌을 받게 되어 있소. 당신이 보고 있는 저 여자의 남편은 아마 학자였다고 알고 있소. 암스테르담에서 살던 그들 부부는, 이 매사추세츠로 옮겨 올 작정을 하고, 먼저 저 여자를 떠나도록 했다는군요. 하지만 뒷일을 마무리짓고 오겠다던 학자 남편은 2년이 훨씬 넘도록 아무 소식이 없고, 혼자 지내던 저 여자는 결국 부정한 짓을 저지르게 된 것이지요."

자신의 이야기를 남의 입을 통해 듣는 것은, 왠지 묘한 기분이 든다는 것을 사나이는 어렴풋이 느꼈다.

"일이 그렇게 된 것이군요. 저 여자의 남편이 유능한 학자였다면, 그런 일 정도는 미리 예견할 수도 있었을 텐데. 안타까운 일이군요. 그렇다면 저 아이는 누구의 자식이란 말이오?"

"이 곳 사람들이 궁금해하는 일이 바로 그겁니다. 헤스터는 자신의 죄를 인정하면서도, 아이의 아버지가 누군인지에 대해서는 도무지 말할 생각이 없다는 겁니다. 하느님만이 모든 사실을 알고 있겠지요. 아니면, 아이의 아버지가 이 광장 어딘가에 숨어서 이 광경을 보고 있을지도 모르겠군요."

마을 사람이 들려주는 이야기를 꼼짝 않고 듣고 있던 묘한 차림의 사나이는, 마치 자신에게 당부하듯 혼잣말처럼 내뱉었다.

"저 여자의 남편이 이 일을 모른 체하진 않겠군."

"물론이죠. 하지만 이 곳 사람들과 현명한 판사님께서는, 여자의 남편이 아직까지 살아 있을 거라고 생각하지 않아요. 저 여자는 당연히 처형되어야 할 테지만, 판사님들은 그녀가 저지른 죄를 한순간의 실수로 인정해 주는 자비를 베풀었소. 결국 얼마 동안 이 처형대에 서 있는 형벌과 함께, 죽을 때까지 부정한 죄의 표지인 주홍 글씨를 달고 다녀야 한다는 판결을 내린 것이오."

"올바른 결정을 내리셨소. 저 여자가 저주스런 저 표지를 가슴에 달고 다님으로 해서, 여러 사람들에게 죄에 대한 경각심을 일깨워 줄 테니까. 하지만 함께 죄를 지은 또 한 사람이 저 여자 곁에 없다는 것이 안타까운 일이오. 결국 세상의 모든 비밀은 밝혀지게 마련이니, 시간이 흐르면 아이의 아버지도 같은 벌을 받게 될 것이오. 분명히!"

마치 자신의 결심인 양 힘주어 마지막 말을 마친 사나이는, 이제까지 이야기를 들려준 마을 사람에게 정중히 인사를 하고, 같이 온 인디언들과 함께 그 자리를 떠났다. 묘한 사나이가 옆에 있던 마을 사람과 열심히 이야기를 나누는 사이에도, 헤스터 프린은 그 사나이에게서 눈을 떼지 않았다.

'휴, 만약 저 사람과 태양이 비치는 환한 대낮에 단둘이 마주쳤더라면, 난 아마 그 자리에 굳어 버리고 말았을 거야. 차라리 이처럼 많은 사람들 가운데 그의 존재를 확인한 것이 훨씬 나은 걸.'

헤스터는 새삼스럽게 구경꾼들에게 고마운 마음이 들어, 안도의 한숨을 내쉬었다. 군중 틈에 섞여 있던 사나이를 보면서, 이런저런 생각에 빠져 있던 그녀를 부르는 소리가 어디선가 들려왔다.

"헤스터 프린! 헤스터 프린!"

그녀를 반복해 부르는 소리를 들은 헤스터는, 발코니 위로 고개를 들었다. 그 곳에는 벨링엄 총독을 비롯해 네 명의 호위병이 뒤를 지키고 있었다. 벨링엄 총독은 깃을 꽂은 단정한 모자에, 화려하게 수놓은 외투를 걸치고 있었다. 얼굴엔 그 동안의 연륜을 보여 주는 적당히 팬 주름살이 보기 좋았다. 그 곁에 있는 다른 신분 높은 사람들 역시, 복장에 어울리는 알맞은 위엄 있는 얼굴을 하고 있었다.

그들을 바라보던 헤스터의 눈이 점점 커지며, 절망의 늪으로 빠져드는 것 같았다. 마치 그들에게서 더 이상의 자비를 바란다는 것은 있을 수 없다는 것을 잘 알고 있는 듯했다.

헤스터를 부른 사람은 다름 아닌, 이 지방의 사람들로부터 존경받고 있는 존 윌슨 목사였다. 그는 보스턴에서 가장 나이가 많은 목사로, 몸 전체에 온화함과 너그러움이 여기저기에 배어 있었다. 발코니의 앞으로 나선 그는, 조용하지만 힘있는 목소리로 헤스터를 설득하기 시작했다.

"잘 들어라, 헤스터! 내 옆에 있는 이 사람이 누구인지는 너도 잘 알 것이다. 아마도 이 일이 있기 전에, 너와 이야기를 많이 나누었을 것이다."

윌슨 목사는 옆에 서 있는 한 젊은이를 가리키며 말을 이었다. 목사가 가리킨 사람은 순수한 얼굴을 가진 젊은이였으나, 왠지 기운이 없어 보였다.

"이 젊은이야말로 너에 대해 잘 알고 있기 때문에, 네 문제를 이 사람과 의논하고 결정지으려고 했다. 여기 모인 모든 사람들 앞에서 너를 설득하고, 네 문제를 해결지을 사람은 오직 이 사람뿐일 것이다. 이 사람이야말로, 네가 이제까지 말하려고 하지 않는 아이 아버지의 이름을 알아낼 수 있는 유일한 사람이라고 믿고 있다. 이제까지 이 사람이 보여 준 신앙심과 성실함은 너도 잘 알고 있지만, 반면에 사람들에게 너무 너그럽다는 단점을 가지고 있지. 딤스데일은 네 이야기를 의논하면서, 이처럼 많은 사람이 모인 곳에서 부정한 짓을 함께 저지른 사람을 고백하라고 강요하는 건 너무 가혹한 처사라고 말했다. 물론 그 말이 전혀 틀린 것은 아니지만, 나는 그렇게 생각하지 않는다. 인간이 저지른 죄가 흉악하고 나쁜 것이지, 그것을 털어놓는다는 것은 아주 훌륭한 일이라고 할 수 있다. 자, 딤스데일 목사, 저 불쌍한 영혼에게 당신이 가진 열렬한 신앙심으로, 진실을 털어놓을 수 있게 설득해 주시오!"

윌슨 목사는 자신의 의무를 성실히 수행한 사람처럼, 다음은 딤스데일 목사에게 그 어려운 임무를 넘겼다. 벨링엄 총독은 고개를 돌려 젊은 목사에게 눈길을 주었다. 윌슨 목사의 말처럼 젊은 목사가 자신들이 하지 못했던 일을 충실히 수행해 주기를 바라는 마음을 담은 채.

발코니 밑에 있던 수많은 사람들도, 철통같이 열릴 것 같지 않은 헤스터의 비밀을 밝혀 주기를, 혹시나 하는 마음으로 젊은 목사를 바라다보았다. 딤스데일 목사는 영국의 명문 대학을 우수한 성적으로 졸업한 후, 개척지인 이 곳을 위해 모든 힘을 쏟아붓기로 작정하고 온 사람이었다.

사람들을 휘어잡는 진실 어린 설교와 열성적인 신앙심은 모든 사람들의 존경을 받기에 충분했으며, 앞으로 그의 장래를 보장했다. 크고 시원

한 눈에선 그의 영특함이 드러났지만, 한편 어딘지 우울하고 깊은 슬픔까지 느껴졌다. 그가 마음속에 품은 뜻은 매우 큰 것이었으나, 다 펴지 못하도록 무엇인가 가로막는 것이 있는 듯했다.

아직은 대중들 앞에 나서는 것이 익숙치 않은 것인지, 아니면 또다른 이유가 있는 것인지 모르지만, 가끔 겁에 질려 있는 힘없는 표정을 보이곤 했다. 하지만 이런 때묻지 않은 순수함이 사람들에게 이상한 매력과 함께, 그의 말을 거의 다 믿어 버릴 수밖에 없는 상황을 만들어 냈다.

윌슨 목사와 총독의 눈길이 상당히 부담스러운 듯, 딤스데일 목사는 잠시 고개를 아래로 떨군 채 아무 말도 하지 않았다. 그를 조금만 주의 깊게 바라본 사람이라면, 그의 안색이 몹시 창백하다는 것을 눈치챌 수 있었을 것이다. 하지만 이내 굳은 결심을 한 듯 입술을 움직여 혼잣말을 한 뒤, 고개를 천천히 들어올렸다.

그는 몇 발짝 움직여 발코니의 중앙으로 걸어 나와, 상반신을 약간 앞으로 기울여서 헤스터를 향한 몸짓을 했다. 그리고 그녀의 맑은 눈을 잠시 바라다보고 입을 열었다.

"내가 지금부터 무슨 말을 당신에게 할지 대충 짐작하리라고 생각하오. 헤스터! 혼자서 모든 괴로움을 다 짊어지려고 하지 마시오. 당신의 마음이 평온해지고, 세상의 죄를 조금이라도 없애려는 책임이 당신에게도 주어졌다고 생각되거든 주저하지 말고 입을 여시오. 즉, 당신과 함께 부정한 일을 저지른 사내의 이름을 이 곳에서 알리도록 하시오. 당신이 그 사나이의 신변을 보호하기 위해 아무런 말을 하지 않는 것이, 오히려 그 자를 악의 구렁텅이로 몰아넣는 일이 될 것이오. 당신이 그 자의 이름을 밝힌다면, 그 사람 역시 아마 후련한 마음으로 죄를 달게 받을 것이 분명하오."

헤스터를 설득하는 말이 길어질수록, 젊은 목사의 목소리는 점점 더 신념에 찬 듯한 목소리로 변해 갔다.

"하느님이 당신에게 내린 이런 고통들은 사람들 앞에서 숨김없이 드러내 놓고 용서를 구하도록 한 것이니, 마음을 잘 다스려야 할 것이오. 이러한 고통을 함께 나눌 사나이의 이름을 밝혀, 죄를 달게 받는 것이 하느님이 원하시는 바일 것이오."

마지막 말을 마친 젊은 목사는 마치 그 자리에서 쓰러질 것처럼 휘청거렸다. 미리 연습해 둔 설교가 아니라, 부정한 여인까지도 너그럽게 받아들이며 동정심을 발휘한 진심 어린 설득은 사람들에게 큰 감동을 주었다.

"딤스데일 목사님은 정말 대단하신 분이야. 저런 하찮은 여자를 위해 말 한 마디 한 마디에 무진 애를 써 가며 설득을 하시니 말이야."

"비록 젊은 목사님이긴 해도, 우리의 존경을 받을 만한 타고난 성품을 가지신 분이지. 헤스터가 악마가 아닌 사람이라면, 이 자리에서 부정한 짓을 저지른 남자의 신분을 밝힐 게 틀림없어."

"맞아, 혹시라도 저 여자가 입을 열지 않는다고 하더라도 이 근처에서 혹시 숨죽이고 지켜보고 있을지도 모르는 아이의 아버지가 딤스데일 목사님의 설교에 감동되어 냅다 사형대 위로 뛰어올라가서 죄를 고백할지도 모르겠군."

하지만 사람들의 예상은 빗나가고 말았다. 잠시 후, 헤스터가 굳게 다문 입을 열어 한 말은 그와는 정반대의 것이었다.

"목사님의 말씀대로 따를 수가 없어요."

이 말은 그 곳에 모인 사람들뿐 아니라, 발코니에서 위엄 있는 얼굴로 이 광경을 지켜보고 있던 높으신 분들에게도 눈살을 찌푸리게 했다. 윌슨 목사가 앞으로 나서서 헤스터를 나무라며 쏘아붙였다.

"흥! 결국 입을 열지 않겠다는 뜻이냐? 하지만 명심해 두어라. 우리들의 너그러움도 네가 알고 있는 것보다 훨씬 작다는 것을……. 하지만, 네가 마음을 고쳐 먹는다면 이 자리에서 평생 달고 살아야 할 주홍 글씨를 떼어 낼 수 있도록 해 주겠다."

구경꾼들은 침을 꿀꺽 삼키며 헤스터의 입만 바라볼 뿐이었다.

"여자의 죄를 없던 일로 해 준다는데 말하지 않고는 못 배길걸."

헤스터는 잠깐 동안이었지만, 한쪽 구석으로 물러난 딤스데일의 눈을 무심히 올려다보았다.

그리고는 결심한 듯 자신의 생각을 윌슨 목사에게 전했다.

"이미 주홍 글씨는 내 옷이 아니라 제 마음속 깊은 곳에 새겨져 있기 때문에, 헝겊을 떼어 낸다고 하더라도 아무 의미가 없는 일이죠. 어리석은 생각인지도 모르겠지만 이 아이 아버지의 고통도 함께 짊어지려고 합니다."

그 때였다. 이제까지 웅성대지 않았던 구경꾼들 틈에서, 날카로운 목소리가 울려나왔다.

"어서 아이 아버지의 이름을 말해라!"

순간 헤스터의 신경이 바싹 긴장되며 흠칫했다.

'설마, 저 목소리는…….'

그녀가 잠시 머뭇거리는 동안, 군중들의 외치는 소리가 여기저기서 들려왔다.

"말해라! 함께 죄를 지은 자의 이름을!"

"어서 죄에 대한 대가를 받아라!"

다시 정신을 차린 헤스터는 자신의 생각에는 변함이 없다는 듯이 단호히 말했다.

"난 앞으로도 이 아이의 아버지에 대한 말을 절대 하지 않겠어. 하느님만이 우리들의 보호자가 되며 이 아이의 아버지일 뿐이야."

윌슨 목사는 헤스터의 굳은 마음을 더 이상 어떻게 해 볼 도리가 없다는 것을 깨달은 한편, 마음 한구석으로는 감동했다.

'흠, 끝까지 아이의 아버지에 대해 입을 열지 않으려는 여자의 죄가 크기는 하지만, 자신이 모든 죄를 대신하려는 일은 누구나 할 수 있는 일이 아니다.'

딤스데일 목사 역시, 윌슨 목사와 같은 생각을 가진 듯 아무런 말 없이 멍하니 하늘만 바라다볼 뿐이었다.

노련한 윌슨 목사는 이 상황을 정리하고 끝맺기 위해, 그 곳에 모인 군중들을 향해 준비해 온 설교를 하기 시작했다. 설교의 주제는 역시 주홍 글씨 A(Adultery, 간통의 머리글자임)와 인간의 죄를 관련지은 것이었다. 군중들이 점점 윌슨 목사의 설교 속으로 빠져 들어갔지만, 헤스터의 머릿속은 온통 뒤죽박죽이 되어 아무 소리도 들리지 않았다.

그녀의 팔에 안겨 있던 아이도 이 상황이 더 이상 견디기 힘들었는지, 몸을 뒤틀며 보채기 시작했다. 하지만 그녀 역시 어쩔 수 없는 지경이 되어 더 이상 정신을 차릴 수 없었다. 다만, 넋이 나간 모습으로 우는 아이를 안고 멍하니 서 있을 뿐이었다.

얼마간 시간이 흐른 뒤, 헤스터는 다시 아이와 함께 처형대를 떠나 감옥으로 끌려들어가 버렸다.

새로운 비밀

광장에서 정신적으로 심한 고통을 당한 헤스터는, 감옥으로 돌아오자 참았던 흥분을 마구 토해 냈다. 그것은 거의 발작에 가까운 수준이었다.

"조용히 하지 못하겠어! 계속 소란을 피운다면 가만두지 않겠어."

간수장의 으름장에도 불구하고, 헤스터의 신경질과 난동은 시간이 갈수록 점점 더 심해져 갔다.

"안 되겠군. 저러다간 아이에게 무슨 짓을 할지 모르겠어. 이봐! 당장 의사를 이 곳으로 모셔오도록 해!"

간수장 블래킷은 사태가 심각하다는 것을 알아차리고, 재빨리 사람을 시켜 의사를 불렀다. 헤스터 역시 정신 상태가 불안했지만, 그녀가 품에 안고 있는 아이 역시 눈을 휘둥그렇게 뜨고, 보이지 않는 무언가에 깜짝깜짝 놀라며 경련을 일으켰다. 아이 역시 엄마의 절망과 고통을, 젖을 통해 모두 먹어 버리고는 고통스러워하는 듯했다. 잠시 후, 어두컴컴한 감옥에 모습을 드러낸 의사 선생은 다름 아닌, 사형대 아래서 군중들 틈에 섞여 있던 묘한 차림의 사나이였다.

로저 칠링워스라는 이름을 가진 이 사나이는, 이 마을의 관리들과 인디언들과의 몸값으로 인한 문제 때문에 이 감옥에 잠시 머물고 있었다. 어느덧 헤스터가 머물고 있는 감옥에 다다른 의사는, 간수장의 뒤를 따라 성큼 문 안으로 들어섰다.

"앗!"

헤스터는 의사의 모습을 보자 외마디 소리를 질렀을 뿐, 아무 소리도 내지 못했다. 간수장은 그녀의 놀라는 모습에 주춤 멈춰 섰다.

"왜 그래?"

그러자 의사가 냉큼 앞으로 나와서 손을 내저으며 아무 일도 아니라는 듯이 간수장을 안심시켰다.

"걱정 마시오. 저 여자도 의사인 나를 알아본 모양이오. 곧 약을 조제해 먹일 테니 나가 계시오."

"당신 말이 맞는 것 같군. 조금 전까지만 해도 길길이 날뛰었는데, 지금은 저렇게 조용한 걸 보면 말이야."

우직한 간수장은 유능한 의사의 말을 한치의 의심도 없이 믿어 버리고는 이내 나가 버렸다. 의사는 아직도 자신을 바라보며 놀란 기색을 보이고 있는 헤스터에게는 한 마디 말도 건네지 않고 아이의 상태를 진찰했다. 그리고는 가지고 온 여러 가지 약들 중 한 알을 물이 담긴 컵에 넣고 흔들었다.

"우선 이 약을 이 아이에게 먹이도록 해."

의사는 아주 딱딱한 어조로, 헤스터에게 약을 탄 물컵을 내밀었다. 하지만 그녀는 선뜻 그것을 받아들려고 하지 않았다.

"나를 의심하고 있는 건가? 예전에 해 두었던 많은 공부와 인디언들과 함께 생활하면서 약초에 대해 많은 것을 알게 되었지. 의사 노릇을 해도 손색이 없을 정도로 말이야. 아이를 안고 약을 먹이는 일은 당신이 하도록 해. 이 아이는 나와는 아무런 상관이 없으니까."

"믿을 수 없어. 도대체 당신은 이 가엾은 어린아이에게 무슨 짓을 하려는 건가요?"

"흠, 나를 못 믿겠다는 말인가? 난 이 아이에게 아무 감정이 없어. 설사 내 아이가 이런 지경에 이르렀다고 하더라도, 난 똑같은 약을 썼을 거야."

헤스터는 단호하게 말하는 의사의 말을 끝내 믿을 수가 없었다. 결국 의사는 직접 어린아이를 안고 약을 먹여 주었다. 심한 몸부림을 치던 아이는 잠시 후, 언제 그랬냐 싶게 차츰 조용해지더니 편안한 얼굴로 새근새근 잠이 들었다.

로저 칠링워스라는 그 사나이는 아이가 잠이 든 것을 확인한 후, 헤스터의 몸 상태를 살펴보기 위해 그녀에게 눈길을 돌렸다. 두 사람의 눈이 마주친 순간, 그녀는 온몸에 소름이 쫙 돋았다.

'아, 내가 저 사람과 함께 산 적이 있다는 것이 믿어지지 않아. 어쩌

면 눈빛이 저리도 무섭고 냉혹해 보일까?'

그녀의 마음을 눈치채기라도 한 듯이 의사는 이내, 그녀를 바라보던 눈길을 거두고 다시 약을 만들기 시작했다.

"자, 이번에는 당신 차례로군. 이 약이 당신의 부정한 죄까지 씻어 줄 수는 없겠지만, 불 같은 당신의 신경 정도는 잠시 가라앉혀 줄 수 있을 거야. 이 약 역시 인디언들과 함께 생활할 때 배운 비법의 하나지."

헤스터는 잠시 편안히 잠든 아기의 얼굴을 바라보았다. 그리고는 의사가 만들어서 내민 약이 든 물컵을, 잠시 망설이다가 받았다. 하지만 마음 한구석에서는 이 남자가 도대체 무슨 작정으로 자신과 아이를 위해 이렇게 해 주는 걸까 하는 의심이 들었다.

"내가 죄를 지은 사람들 중엔 당신도 포함되어 있죠. 이런 생활들을 내 힘으로 감당하기 어려워 죽으려는 생각을 한 적이 여러 번 있어요. 만약 당신이 준 이 약에 독약이 들어 있다면, 난 거절하지 않고 마실 수 있어요. 하지만 당신에겐 이게 최선의 방법인지 다시 한 번 생각해 봐요."

"후훗, 생각해 주어 참 고맙군. 하지만 당신의 생각은 틀렸어. 난 그렇게 너그러운 방법으로 당신을 벌하지 않아. 당신이 되도록 오랫동안 살아서, 사람들로부터 손가락질을 받으면서 비참하게 살아 주기를 바래. 그러니 주저하지 말고 약을 마시도록 해!"

그녀는 더 이상 그를 의심할 필요가 없다는 것을 깨달았는지, 들고 있던 약을 목으로 들이켰다. 그리고 아기가 잠들어 있는 침대에 주저앉았다. 헤스터가 어느 정도 약 기운이 돌고 마음이 진정된 것을 확인한 의사는, 이제부터 할말이 남았다는 듯이 그녀 앞으로 의자를 끌어당겨 앉았다.

“당신이 왜 이 곳에 있는지, 아니 왜 처형대에 그렇게 서서 사람들로부터 구경거리가 되어야 했는지 묻지 않겠어. 결국, 이렇게 된 것은 나의 무관심과 당신의 실수 때문이겠지. 난 내가 좋아하는 연구에만 몰두하느라 어느 정도 늙어 버린 상태에서, 당신같이 아름답고 젊은 여자를 아내로 맞아들인 것부터가 잘못된 출발이었어. 세상에서는 나 같은 사람을 유능한 사람이라고 하지. 그렇다면 이런 일이 올 것이라는 것쯤은 알고 있어야 했어. 방랑의 생활을 마치고 마침내 구원의 장소로 나왔을 때, 내가 처음 본 장면이 처형대 위에 있는 당신의 모습이라니……. 내가 얼마나 비참하고 괴로웠는지 당신은 모를 거야. 평생을 함께 살 것을 신께 약속드리고 교회당 문을 나섰을 때, 우리의 미래가 이 주홍 글씨의 색깔처럼 평탄하지 않다는 것을 알았어야 했어.”

분노에 찬 의사의 말을 듣고 있던 헤스터는, 자신에게도 그 동안 쏟아내지 못한 할말이 남았다는 듯이 입을 열었다.

“당신과 함께 사는 동안 서로의 마음을 털어놓지 않았지만 우리는 서로 느끼고 있었어요. 서로 사랑하지 않았다는 것을!”

의사는 전부터 어렴풋이 느끼고 있던 사실을, 그녀의 말을 통해 다시 한 번 확인하자 왠지 기운이 쑥 빠지는 듯했다.

“흠, 당신 말이 맞아. 당신과 결혼하기 전까지 내 마음은 황량한 벌판이었지. 무한한 지식으로도 채워지지 않는 것이 있어. 내가 좋아하는 책과 연구만으로는 왠지 마음 한쪽이 텅 비고 쓸쓸했어. 나이는 많고 몸이 성치 않았지만, 세상 사람들이 말하는 가정이라는 것을 꾸며 보고 싶었어. 그것은 마음만 먹으면 언제든지 이룰 수 있다고 생각했어. 결혼이라는 형식만 갖추면, 서로의 마음을 확인하는 것은 나중 일이라고 여겼어.”

솔직한 로저 칠링워스의 한탄의 소리에 헤스터는 미안한 마음이 들었다.

“그 동안 몹시 괴로웠나 보군요. 당신의 괴로움에 저도 한 몫 한 셈이구요.”

“그렇게 생각한다니 고맙군. 하지만 처음부터 잘못을 따지자면 내가 더 큰 실수를 한 거지. 아직 세상을 잘 모르는 젊고 아름다운 당신을 속여, 정열이라곤 남아 있지 않은 나와 결혼을 하게 했으니 말이야. 난 더 이상 당신에게 괴로움을 주고 싶지 않아. 우리를 이 지경으로 몰고 간 몹쓸 자식이 누구인지 알고 싶을 뿐이야. 내게 말해 줄 수 있겠지?”

잠시 의사에게 동정어린 눈길을 보내던 헤스터는, 금세 표정을 바꾸고 단호히 말했다.

“아뇨. 이 세상 어느 누구에게도 말하지 않겠어요.”

“누구에게도 그 사나이의 이름을 가르쳐 주지 않겠다고? 호, 대단한 열정이군. 그렇지만 내 말을 잘 들어 둬. 세상에 완전한 비밀이란 있을 수 없어. 당신이 어리석은 군중과, 잘난 체하는 관리들의 눈은 속일 수 있을지라도 나를 속일 순 없을 거야.”

로저 칠링워스는 자신의 일생까지 마구 짓밟은 사내에 대한 복수심에 불타고 있었다.

“두고 봐. 난 마음만 먹으면 뭐든지 할 수 있어. 당신이 보기엔 내가 하잘것없어 보이겠지만, 난 책 속에서 얻은 여러 가지 방법을 동원해서 그를 찾아낼 거야. 나와 그 사나이는 한 번도 얼굴을 부딪치거나 말을 나눈 적도 없지만, 아무것도 모르고 만나게 되더라도 말로 표현할 수 없는 영감이라는 것이 떠오를지도 몰라. 틀림없이 그 사나이는 마음속 깊은 곳에 주홍 글씨를 새겨 넣고 살아갈 테니, 난 그 속을 꿰

뚫어 보는 신비한 힘을 보여 줄 테야. 당신이 할 일이라곤 나를 잘 지켜보는 일뿐이야."

의사란 사나이는 여기까지 말하고는, 잠시 생각을 정리한 뒤 마지막 말을 잊은 듯 덧붙였다.

"아, 그렇지만 당신이 숨기고 있는 그 사나이를 크게 걱정할 필요는 없어. 난 그 남자의 정체를 알아낸 뒤 여러 사람들에게 밝히는 일은 하지 않을 테니까. 내가 당신의 남편이었다는 사실조차 알려 주지 않을 작정이야. 그 사나이의 체면과 신분을 보장해 주면서 내 손에서 그의 영혼을 서서히 괴롭혀 나갈 작정이야. 그게 훨씬 고통스럽지 않겠어?"

"아아, 당신은 사람의 탈을 쓴 악마예요. 내가 이전에 알고 있던 사람이 아닌 것 같아."

헤스터는 분노와 두려움을 동시에 느끼며, 그가 이전에 자신의 남편이었다는 사실이 믿어지지 않았다.

"그래, 그렇게 생각한다면 그게 맞을지도 모르지. 하지만 당신은 내게 한 가지 약속을 해 주어야겠어."

"약속이라니요?"

"예전에 있었던 우리들의 관계를 아무에게도 말하지 않았으면 해. 당신만 입을 다물어 준다면, 이 고장에서 나를 알아볼 사람은 아무도 없어. 이제 이곳 저곳을 떠돌아다니는 생활을 하지 않을 작정이야. 이곳에 정착해 살면서, 내가 하던 연구를 마무리지을 거야. 게다가 여기는 당신과 이름 모를 사나이, 또 그의 아이가 함께 있는 곳이니까."

그녀는 점점 더 로저 칠링워스의 생각을 이해하기가 힘들었다.

"당신의 신분을 왜 밝히지 않으려는 거죠?"

"흠, 아마도 부정한 여자의 남편이었다는 것을 알리고 싶지 않기 때문이겠지. 아니, 이 세상에서 나의 존재 자체를 부정하고 싶기 때문인지도 모르지. 만약 내 이야기를 물어오는 사람이라도 있다면, 이 세상에 이미 없는 사람이라고 대답해 버리면 돼. 어떤 상황에서든 나를 안다고 말해선 안 돼. 물론 당신이 보호하고 있는 그 사나이 앞에서조차도 말이야. 이 약속이 지켜지지 않는 날엔 나도 가만있지 않겠어. 아이의 아버지가 그 동안 쌓아올린 명성과 더불어, 모든 것을 짓밟아 버리고 말 테니 내 말을 단단히 명심하길 바래."

"좋아요. 당신이 원하는 대로 해 주겠어요!"

그제야 로저 칠링워스는 만족한 듯 입가에 야릇한 미소를 떠올렸다.

"이제 그만 가 봐야겠어. 잠든 아이 곁에서 당신도 한숨 푹 자 두는 것이 좋겠어. 아 참, 궁금한 것이 있어. 당신의 가슴에 붙인 부정의 표지로 인해 악몽에 시달리지는 않나?"

그녀의 대답을 기대하지도 않는, 별 의미 없는 말을 남겨둔 채, 의사는 감방 문을 나갔다. 헤스터는 그의 모습이 보이지 않자, 그제야 한숨을 몰아쉬었다.

'아, 내가 꿈을 꾼 것 같아. 지금까지 나와 이야기를 나눈 사람은 누굴까? 하느님이 내게 심판을 내리려고 보낸 사람일까? 아니면 지옥에서 나를 벌하려고 보낸 악마일까?'

심란한 마음을 가눌 길 없던 그녀는, 조금 전 먹었던 약 기운이 온몸에 퍼지자 그 자리에 쓰러져 잠이 들었다.

해변의 오두막집

어느덧 헤스터는 정해진 감옥 생활을 마치고 세상으로 나왔다.

"아, 눈 부셔!"

그녀가 열릴 것 같지 않은 육중한 감옥 문을 통해 밖으로 나왔을 때, 그의 머리 위로 뜨거운 햇빛이 내리쬐었다. 이미 어두운 곳의 생활에 익숙해 있던 터라, 한동안 그녀는 앞으로 발을 내딛지 못하고 그 자리에 굳은 듯이 서 있었다.

그 곳에는 예전처럼 그녀를 구경하기 위해서 사람들이 몰려 있지 않았다.

'아, 내 마음이 왜 이리 쓸쓸하지? 난 이제 어디로 가야 하지?'

오히려 많은 구경꾼들이 그녀의 삶의 위안이 된 듯했다. 하지만 이렇게 텅 빈 거리에 홀로 서 있으니, 해방감보다는 무언지 모를 고독감이 그녀의 몸을 휘감고 있었다. 그녀의 강한 기질은 그녀를 마음껏 비웃는 사람들 사이에서, 힘을 얻고 살아갈 계기를 만들어 주었던 것이다.

이 고장의 높은 관리들은 그녀에게, 이제부터 어디로든 원하는 곳에 가서 살아도 된다고 허락하였다. 앞으로 그 시대의 다른 여자들처럼 힘겨운 일상 생활을 해 나가든지, 아니면 이대로 주저앉아 일생을 엉망으로 만들어 버리든지 그건 그녀의 자유였다.

'이제부터 모든 걸 나 혼자 결정하고 생활해 나가지 않으면 안 된다. 부정한 여자인 내게 아무도 구원의 손길을 내밀어 주지 않을 테니까. 차라리 아무도 모르는 낯선 곳으로 가서, 가슴에 박힌 이 글자를 떼어 내고 새로운 생활을 시작하는 것이 좋을지도 몰라. 아니야, 이 표지는 옷에서 떼어 낸다 하더라도, 내가 이 세상을 끝낼 때까지 내 마음속에서 지워 낼 수는 없을 거야.'

인간이란 시련을 겪고 난 뒤에는 정신적으로 한층 성숙해지는 법인가 보다. 그녀 역시 자신을 벌준 이 곳으로부터 아무리 멀리 도망치더라도, 결국 죄로부터 벗어날 수 없다는 사실을 누군가가 가르쳐 주지 않아도 느낄 수 있었다.

"그래, 이 곳에 그냥 머무르자. 내가 이 곳에 잘못 뿌린 씨라고 할지라도 내 손으로 이 곳에서 거두어들이는 게 옳을 거야. 앞으로도 이 곳 사람들은 내게 따뜻한 미소와 말 한 마디 건네지 않겠지만, 내 운명은 이 곳을 벗어날 수 없어."

앞으로 살아갈 그녀의 생활이 고달프고 힘들겠지만, 그녀는 그것이 당연한 죄의 대가라고 생각하기로 했다.

'언젠가는 사람들도 나의 진심을 알아줄 날이 올 거야. 그 때까지 난 내 아이와 불우한 이웃들에게 따뜻한 손길을 내밀면서 살아가겠어.'

하지만 헤스터는 마을에서 그녀의 보금자리를 잡을 수는 없었다. 결국 마을에서 조금 멀리 떨어진 바닷가에 자리를 잡았다. 이 곳에 작은 오두막집이 한 채 있었는데, 예전에 한 이주민이 지어 놓은 집이었다. 근처에는 농사지을 곳이 마땅치 않았고, 마을과도 떨어져 있어 생활하기가 불편했기 때문에 지금까지 그대로 버려 두었던 집이었다.

이 오두막집 뒤로는 바다가 펼쳐져 있고, 그 너머로는 우거진 숲을 이루고 있었다. 헤스터는 관리들에게 자신이 거처할 곳을 가르쳐 준 뒤, 허가를 받아 그 집에서 생활했다. 가지고 있는 살림이라곤 궁색한 것이어서, 별로 옮겨올 만한 것이 없었다. 헤스터는 몇 가지 필요한 것을 집 안에 구해 놓았다.

사람의 발길도 뜸한 그 곳에서, 아무도 찾아와 줄 사람 없는 쓸쓸한 생활을 아이와 함께 꾸려 나갔다. 그래도 다행이라면 그녀의 뛰어난 바느질 솜씨가, 두 사람이 먹고사는 데 큰 도움이 된다는 것이었다.

수를 놓는 솜씨는 그 근방에서 그녀를 따라올 자가 없을 정도로 뛰어나서, 마을에 큰 행사가 있을 때면 일감이 넘쳐 밤을 새워도 모자랄 지경이었다. 물론 개척지에선 모든 사람들에게 근검, 절약이 미덕으로 되어 있지만, 신분이 높으신 관리들에겐 예외였다. 여러 공식적인 행사가 많았기 때문에 근사한 옷차림이 필요한 때가 많았다.

그녀가 사람들의 구경거리가 되기 위해서 거리로 나섰을 때, 여인들은 헤스터의 가슴에 장식된 표지의 바느질 솜씨를 흘려 보지 않았다. 그 후로 사람들의 입소문을 통해 번져 나간 그녀의 수놓는 솜씨는, 높은 관리들의 부인의 귀에까지 들어갔다.

"헤스터, 총독님께서 이번 행사에 입을 옷의 깃을 장식할 수를 놓아 줘."

"난 행사에 참석할 예정이니, 그 날 사용할 장갑에 멋진 장식을 만들어 줘."

사람들은 그녀를 찾아와, 여러 가지 장식품에 화려한 수를 놓아 줄 것을 부탁하고는 이내 돌아가 버리곤 했다. 한번은 마을에 사는 한 허름한 옷차림의 여자가 헤스터를 찾아왔다.

"부탁이 있어, 헤스터."

"말씀해 보세요. 제가 할 수 있는 일이라면 뭐든지 해 드릴게요."

그녀와 비슷한 나이의 마을 여자는 잠시 머뭇거리더니, 찾아온 이유를 말했다.

"사실은 우리 아이가 당신이 수놓은 장식품을 몹시 가지고 싶어해. 우리 애는 그런 쪽에 관심이 아주 많거든. 게다가 원하는 것을 가질 수 없을 경우엔 밥도 먹지 않고 울기만 하니……."

"오히려 제가 감사해요. 보잘것없는 제 솜씨를 좋아해 주다니 말예요. 빠른 시일 내에 손수건에다 아이가 좋아할 만한 예쁜 수를 놓아서 갖다 드릴게요."

"하지만, 당장 돈을 지불할 수가 없어서……."

헤스터는 걱정 말라는 대답과 함께 살짝 미소를 지었다. 마을 여자가 돌아가고 난 후, 잠시 놓아 두었던 일감을 들고 다시 수를 놓았다.

그녀의 장식품을 원하는 곳은 웅장한 행사장만이 아니었다. 장례식 때 쓸 옷이라든지, 죽은 사람에게 입힐 수의에도 필요했다. 또, 어른뿐만이 아니라 부잣집에 태어난 갓난아이의 옷과 어린아이의 옷에도 그녀의 손길의 흔적이 나타나곤 했다. 마을과 동떨어진 곳에서 아이와 단둘이 살아가고 있었지만, 시간이 흐르자 그녀가 벌어들이는 돈은 생활하기에 충분했다.

어느 날, 헤스터는 그녀에게 맡긴 일감을 손수 전해 주기 위해 마을로 들어섰다. 할 일을 끝낸 그녀가 다시 집으로 돌아가기 위해, 마을 모퉁이를 막 돌아서려고 할 때였다.

"어머, 축하해! 이번 일요일에 교회당에서 결혼식을 한다면서?"

"그래, 고마워."

"참, 결혼식에 쓸 드레스는 준비했니?"

"응, 화려하지 않은 것으로 대강 마련했어."

"무슨 소리니? 그 날은 신부가 꽃인데, 드레스가 초라해서야 안 되지. 헤스터에게 신부에게 어울릴 만한 멋진 수를 놓아 달라고 해 보는 게 어떻겠니?"

친구인 듯한 여자의 제안을 들은 신부될 아가씨의 소스라치게 놀라는 소리가 헤스터의 귀에 또렷이 들려왔다.

"너, 지금 제정신으로 하는 말이니? 다른 사람도 아니고 헤스터에게 순결의 옷인 신부의 드레스를 부탁하라니?"

"왜? 요즘 우리 마을에서 괜찮은 집안의 사람들이라면, 그녀가 수놓은 장식품 하나쯤 가지고 있지 않은 사람이 없을 텐데."

"하지만 결혼식에 쓸 드레스를 헤스터가 바느질했다는 소리는 들어본 적이 없어. 아무리 솜씨가 뛰어나다고 할지라도 그녀는 아직도 부정한 여자일 뿐이야. 새롭게 출발하는 내 앞날에 부정한 여자의 손길이 닿은 드레스를 입을 순 없어!"

신부가 될 여자의 친구는 맞는 말이라는 듯이 그제야 고개를 끄덕였다. 헤스터는 그녀들이 나눈 대화를 듣고, 차마 그 길을 지나갈 수가 없었다. 그녀들과 마주칠까 봐 얼른 발길을 돌려 거의 뛰다시피 집으로 돌아왔다. 텅 빈 오두막집에는 그녀의 아이가 세상 모르게 잠들어 있었다.

"아, 불쌍한 내 아기!"

그녀는 자고 있는 아이를 살며시 껴안고 볼을 비볐다. 어느 새 그녀의 두 눈에서는 하염없이 눈물이 흐르고 있었다.

그런 일이 있는 후로 헤스터는, 더욱더 검소한 생활을 하며 하루하루를 보냈다. 변변하지 못한 옷감으로 만든 드레스를 늘 입고 있었는데, 단지 눈에 띌 만한 것이 있다면 부정의 표지로 달고 있는 주홍 글씨가 새겨진 장식품뿐이었다.

헤스터에게 즐거움이 있다면 자신의 아이가 커 가는 것을 바라보는 일이었다. 그녀는 아이에게만큼은 여러 가지 옷감에 무한한 상상력을 발휘하여 독특한 옷을 만들어 주었다. 그녀가 만든 옷은, 아이의 성격과도 어딘지 모르게 맞아떨어지는 면이 있어 보였다. 그 외에 바느질을 해서 번 돈은 모조리 몹시 가난한 사람들을 위해 썼다. 그녀가 그런 일을 함으로 해서 사람들로부터 무슨 동정심을 바라고 한 일은 아니었지만, 그녀의 도움을 받은 사람들의 행동은 너무나 매몰찼다.

"흥! 우리에게 약간의 음식값을 대 주었다고 결코 우리와 함께 어울리지는 못할걸."

"맞아, 저번에는 아주 거만한 눈길로 우리를 쳐다본 적도 있었어. 우리 같은 가난뱅이보다는 자신이 훨씬 낫다고 생각하는 모양이야."

"그래 봤자 저 여자는 살아 있는 동안, 평생 사람들로부터 손가락질을 받고 살아가야만 할 신세인걸."

헤스터의 도움을 받은, 형편이 어려운 사람들은, 있지도 않은 그녀의 행동 하나하나를 꼬집어 내며 헐뜯어야만 직성이 풀리는 듯했다. 하지만 그녀는 이미 이런 사람들의 간악한 본성에 익숙해 있던 터라, 크게 마음을 상하는 일 없이 넘겨 버리곤 했다.

그녀로선 품삯을 받을 수 있는 일감을 받아 일하는 시간을 쪼개어, 어려운 사람들을 위한 옷을 만드는 데 쓰면서, 자신의 죄의 대가를 치르고 있는지도 몰랐다. 한가한 시간에 생겨나는 잡념을 없애고 즐거움을 자신의 한 부분에서 제거하기 위해 그토록 일에 매달려야 한다고 작정했다. 하지만 사람들 속에서 자신만이 느껴야 할 고독과 소외감은, 때로는 감당하기 힘들었다.

'아, 일을 위해 만나는 저 사람들은 내게 진실한 마음을 가지고 말을

거는 게 아니야. 당연히 내가 받아야만 할 죄의 대가라고 생각되지만 쓸쓸한 기분은 어쩔 수가 없어.'

귀부인들이나 일반 사람들 모두 그녀의 손길을 필요로 하고 있었지만, 그 이상의 어떤 인간적인 관계가 만들어지지는 않았다. 헤스터는 그들 곁에 항상 이방인의 입장으로 주변을 서성거릴 뿐이었다. 아마 그녀에게 아이가 없었다면, 그런 쓸쓸한 생활을 더 이상 견뎌 내지 못하고 미쳐 버리고 말았을 것이다. 가족 간에 나누는 대화와 웃음소리, 심지어는 부부간에 싸우는 소리까지 그녀의 귀에는 듣기 좋은 소리였다.

마을 사람들과 그녀 간에 전혀 연결 고리가 없었던 것은 아니다. 그녀를 향한 야유, 경멸, 비웃음 따위가 그녀를 향한 그들의 최선의 표현이었다. 그녀가 마을을 찾는 날에 우연히 목사라도 마주치는 날엔, 긴 설교를 들어야만 했다. 그럴 때면 영락없이 어디서 몰려왔는지 아이들과 몇몇 어른들이 나타났다.

"헤스터, 요즘도 하느님께 열심히 기도를 올리고 있겠지? 조금이라도 방심하는 날엔, 악마의 그림자가 네 몸 전체로 파고들어갈 테니 항상 몸조심을 하도록 해. 그리고……."

이렇게 시작된 윌슨 목사님의 설교는 끝날 줄을 모르고 계속되었다. 그 동안 아이들은 그녀를 보고 시끄럽게 떠들어 대고, 어른들은 비웃는 눈길을 보냈다.

"헤헤, 얘들아! 저기 목사님과 함께 서 있는 사람이 누군지 알아?"

"당연하지. 우리 엄마가 이야기하는 걸 다 들었어. 저 여자는 몹시 무서운 죄를 지은 사람이니 가까이 가지 말라고 하셨는걸."

몇몇 아이들은 그녀 곁을 빙글빙글 돌며, 손가락질로 놀려 대기 시작했다. 목사와 인사를 한 뒤, 빠른 걸음으로 그 곳을 떠나려고 할 때면, 그 어린것들은 신이 나서 그 뒤를 따라 뛰어오기 시작했다.

언젠가는 어떤 사람이 그녀를 뚫어져라 바라보며 눈길을 거두지 않는 것이었다.

'흠, 내 가슴에 있는 부정의 표지를 저토록 뚫어져라 바라보는 걸 보면 아마도 이 고장에 처음 온 사람인가 보군.'

헤스터는 가끔 가다 자신도 잊어버린 주홍 글씨를 그토록 관심 있게 바라보는 사람을 만나면 어쩔 줄을 몰랐다.

'아, 차라리 이 표지를 볼 수 없도록 가려 버릴까?'

이런 생각이 들기도 했지만, 그녀는 결국 아무런 동작도 취하지 않았다. 단지 그 자리를 떠나 자신의 길을 갈 뿐이었다. 자신이 알고 있는 사람들에게서 느끼는 감정도, 처음 자기를 본 사람들에게서 느끼는 처절함과 다를 바가 없었다. 이미 자신의 죄를 처음부터 모두 알고 있었기 때문에 경멸의 시선을 던지곤 했는데, 그것 역시 견딜 수 없도록 괴로웠다.

하지만 아주 가끔 그녀의 처지를 진실로 걱정하는 눈길도 있었다. 그런 시선이 자신에게 머무르는 것을 느끼게 될 때면, 짧은 순간이나마 행복감에 젖었다.

'내가 지금 무슨 생각을 했지. 난 사람들의 동정심을 기쁜 마음으로 받아들여서는 안 돼. 아직 내 죄의 대가를 치르려면 해야 할 일이 너무 많아.'

그녀는 다시 한 번 허물어지려는 자신의 마음을 다그쳤다.

헤스터의 분신

그 날도 헤스터는 곤히 자고 있는 자신의 분신인 딸의 얼굴을 물끄러미 바라다보았다.

'나의 소중한 딸! 네가 있음으로 해서 이 엄마가 이 때까지 살아온 건지도 몰라.'

펄이라고 이름지은 헤스터의 딸은 하루가 다르게 무럭무럭 커 가고 있었다. 펄은 가끔 가다 생각지도 않은 행동을 하곤 했지만, 엄마의 근심 어린 눈길과는 달리 활달하고 친근감이 있었다.

'아마도 하느님께서 이 아이를 내게 보내 주신 것은, 구김살 없고 맑은 이 어린 영혼을 통해 늘 죄를 잊지 말도록 함이었을 거야.'

부정의 산물로 태어난 아이였지만, 헤스터에게는 더없이 소중하고 이름처럼 진주와도 같은 존재였다. 그녀는 어린 펄이 점점 자란 후에, 자신이 저지른 일을 알게 되면 어떡할까 하는 생각을 가끔씩 하곤 했다.

'펄은 머지않아 마을 사람들과 나의 이상한 관계를 눈치채거나, 그들로부터 흘러나오는 소리를 한 번이라도 듣게 되겠지. 그러면 어린 마음에 상처를 입게 되고, 성격이 어딘지 모르게 거칠어지거나 달라질지도 몰라.'

하지만 헤스터의 생각과는 달리, 펄은 천진난만할 정도로 구김이 없었다. 엄마가 만들어 준 옷을 입고 들판을 이리저리 뛰어다닐 때는, 마치 에덴 동산에 놀러 온 천사 같았다. 예쁘고 귀염성 있는 모습의 펄은, 헤스터가 온 정성을 들여 만든 아름다운 옷을 입어 보기를 좋아했고, 너무나 잘 어울려서 보는 사람들마다 감탄했다.

"어머, 저 아이 좀 봐. 드레스가 어쩜 저렇게 잘 어울릴까?"

"헤스터의 딸이로군! 그녀의 바느질 솜씨야 알 만한 사람은 다 알 정도로 유명하지."

게다가 펄은 여러 가지 모습을 함께 갖춘 아이였다. 어떤 사람은 펄이 마치 들장미 같다고 하기도 했고, 또 다른 사람은 황실의 고귀한 황녀 같다고도 했다.

겉모습과는 달리 펄은 대단한 힘을 마음속에 지니고 있었다. 일종의 열정 같은 것이라고 할 수도 있는데, 그 힘이 없어져 버릴 때면 펄이 아닌 딴사람 같았다. 펄이 조금씩 커감에 따라 헤스터는 펄에게서 또 다른 모습을 발견하고 깜짝 놀랐다. 그건 사회적인 규칙 같은 것에 따르려고 하지 않는다는 것이었다. 어쩌다 펄의 행동이 사람들이 정해 놓은 사회적인 규칙을 위반하지 않았을 경우라도, 그것은 결코 평범한 행동이 아니었다.

'그래, 펄의 이상한 행동들은 나 때문이야. 펄을 임신했을 때부터 나의 정신과 육체는 이미 좋지 않은 상태였어. 그래서 그 흥분 상태의 내 기분들이 고스란히 펄에게 전달되어 저렇게 된 거야.'

헤스터는 펄을 가졌을 당시를 회상하며 괴로워했다.

'저 아이를 낳고도 감옥에서 지냈던 순간들, 내가 마음속으로 괴로워했던 순간순간이 모두 펄에게 전해졌을 텐데.'

그녀는 앞으로 펄의 뜻하지 않은 행동들이, 일생을 살아가는 데 걸림돌이 될지도 모른다는 생각이 들자 얼굴에 근심이 가득했다.

'지금이야 아이다운 천진스러움 때문에 괴상한 성격이 파묻혀 있겠지만, 만약 자라서도 저런 못된 기운을 지워 버리지 않으면 어떡하지.'

헤스터가 걱정스런 눈빛을 띠는 데에는 이유가 있었다. 그 당시 아이들에 대한 가르침은 지금보다 훨씬 엄격한 것이었다. 어른들의 매질과 꾸중은 흔한 일로, 아이들을 올바르게 키우기 위한 도구로서 거리낌없이 사용되곤 했다. 그녀는 다른 사람들과는 달리 여간해서는 펄에게 매를 들지 않았다. 장난이 너무 심하다고 여겨질 때에는 우선 말로써 다스렸다.

"펄, 이 곳에 가면 안 돼. 거기는 더럽고 험한 곳이니까."

하지만 가끔씩 무언가를 요구할 때면 특별한 이유도 없이, 어르거나 꾸중을 하거나 해도 펄은 아랑곳하지 않았다. 결국 펄이 하자는 대로 내버려두었다. 헤스터가 느끼는 펄은 대조적인 성격을 동시에 가지고 있는 아이였다. 슬기로워 보이는 총명함을 갖추고 있는가 하면, 고집 세고 감정적인 면도 갖추고 있었다. 펄이 아무리 어린애라고 할지라도 감정의 표현이 종잡을 수 없을 때에는, 헤스터 자신이 낳은 자식이 맞는지 의심스러울 지경이었다.

마치 요정이 심술을 부리는 것 같아, 혹시나 자신에게서 멀리 날아가 버릴까 봐 펄의 뒤를 쫓아가 꼭 붙들어 오곤 한 적도 있었다.

"하하하, 엄마, 나 잡아 봐!"

엄마의 애틋한 심정을 알지 못하는 펄은, 그녀를 더 곯려 주기 위해 야릇한 웃음을 얼굴 가득히 머금고 더 멀리 달아나곤 했다.

"펄! 펄! 어서 엄마에게 오렴! 어서 오지 못하겠니!"

헤스터의 신경질적으로 부르는 소리를 펄은 들었지만, 장난을 멈추려고 하지 않았다. 오히려 엄마를 더 당혹하게 만들었다.

"싫어! 가지 않을 테야. 엄마는 내 마음을 몰라!"

펄은 엄마가 야단치는 소리를 듣고도 무서워하거나 기가 죽지 않았다. 헤스터에게 도리어 화를 내거나 신경질을 부렸다. 이런 경우 헤스터는 펄을 어떻게 다루어야 할지 몰라서, 그만 그 자리에 주저앉아 울고 싶었다. 이 고장의 많은 사람들의 냉혹한 시선에도 꿋꿋하던 그녀였지만, 이 조그마한 펄에게만은 당해 내지 못했다.

펄은 이렇게 헤스터의 기분을 엉망으로 만들어 놓고도, 금세 아무렇지도 않은 듯 행동했다. 되려 엄마에게 기분 나쁜 표정으로 대했다.

"치, 엄마 때문에 오늘 하루가 즐겁지 않았어. 난 인형놀이나 해야겠어."

그리고는 금방 깔깔대며 인형의 옷을 만들거나, 목욕시키는 놀이에

A

열중했다.

'저 아이의 마음속에는 뭐가 있는지 종잡을 수가 없어. 아무리 어린 아이라지만 엄마의 기분은 전혀 신경 쓰지 않는 것 같아. 게다가 조금 전까지 무표정한 얼굴로 있던 아이가, 금방 숨이 넘어갈 듯 깔깔대고 있으니 말이야.'

세상의 모든 어머니들처럼, 헤스터가 펄이 가장 사랑스럽다고 느끼는 것은 아이가 잠든 모습이었다. 헤스터가 펄을 바라보며 번민하는 가운데, 어느 새 펄도 많이 자랐다. 그녀가 일 때문에 마을을 찾는 날에 아이들이라도 볼 때면, 잠시 우울한 생각이 들었다.

'흠, 우리 펄과 비슷한 나이인 것 같아. 내가 평범한 생활을 했더라면, 펄도 저 아이들과 어울려 마음껏 뛰놀 수 있었겠지.'

아이들의 깔깔대는 소리를 뒤로 한 채 집으로 향하는 그녀의 발걸음은 무겁기만 했다.

'그래, 펄은 태어나면서부터 인간 세계로부터 외면을 당한 아이야. 살아 있는 주홍 글씨가 된 셈이지. 저렇게 평범한 가정에서 태어나 어릴 때 교회에 나가 목사님으로부터 세례를 받은 다른 아이들과는 어울려 놀 수 있는 자격이 없지.'

펄이 버릇없는 짓을 해도, 가끔 엄마를 비웃는 행동을 해도, 그녀가 매질을 할 수 없는 것은 바로 이런 이유들 때문이라고 생각했다. 엄마의 죄로 인해, 아직은 어린 펄이 세상으로부터 감당해야 할 고통이 너무나 큰 것이었다.

언젠가 펄이 엄마의 얼굴을 물끄러미 바라보았다.

"왜 그러니? 엄마에게 할 이야기라도 있니?"

"좀 이상한 기분이 들어. 엄마 따라 마을로 갈 때, 아이들이 나를 쳐다보는 거 말이야."

펄도 역시 말로 정확히 설명하진 못했지만, 어렴풋이 자신의 처지가 평범하지 않다는 것을 깨닫고 있었다. 쉽지 않은 일이었지만 헤스터는 감옥에서 석방되던 날부터 항상 펄을 데리고 다녔다. 으레 자신에게 쏟아지는 호기심의 눈길이, 어쩌다 어린 펄에게 옮겨질 때면 마음이 몹시 괴로웠다. 하지만 펄도 언젠가는 알아야 할 사실이었다.

처음에는 헤스터의 팔에 안겨 다니던 펄은, 걷기 시작하면서 엄마의 손을 잡고 마을에 나타났다. 펄의 눈에 비친 마을 아이들은 처음엔 마냥 신기하기만 했다. 그들은 몇몇이 어울려 교회에서 본 목사님을 흉내내거나, 말을 부리는 시늉, 인디언들의 옷을 입고 흉내를 내곤 했다. 잘 어울려 놀다가 마음이 안 맞으면 서로 싸우곤 했다.

"펄, 저기 네 또래 아이들이 무얼 하는지 가 볼까?"

"싫어. 별로 재미있어 보이지 않는걸."

펄은 마을 아이들에게 별 관심이 없는 듯 그들 가까이 가려고 하지 않았다. 어쩌다가 그들 중 한 명이 다가와 말을 걸었다.

"너, 이름이 뭐니?"

"……."

펄이 아무 대답을 하지 않자 그 아이는 몇 번 다시 되물었다. 하지만 펄은 역시 아무런 반응을 보이지 않았다. 한번은 여러 명의 마을 아이들에게 둘러싸인 적이 있었다. 그러자 펄은 얼굴이 일그러지며 난폭한 행동을 보였다.

"저리 가! 모두들 저리 가란 말이야!"

펄은 아이들이 말을 듣지 않자, 주변에서 눈에 띄는 대로 돌멩이를 집어들어 그들에게 마구 던지기 시작했다. 한 아이가 그 돌에 맞아 약간의 피를 흘리자, 주변에 있던 아이들은 슬금슬금 뒷걸음을 치며 도망쳤다. 그제야 펄은 안심한 듯 얌전해졌다.

그런 펄을 바라보는 헤스터는 뭐라고 설명할 수 없는 기분에 휩싸였다. 예전에 자신이 일으킨 발작과도 같은 증세가, 그대로 펄에게도 나타나고 있었다. 다행히 그녀는 엄마라는 입장으로 끓어오르는 분노 같은 것들을 많이 삭일 수 있었던 것이다. 또래의 아이들과 사귀는 일에 익숙치 못한 펄은, 자기의 오두막집에서 볼 수 있는 모든 것들과 친구가 되었다.

집 근처에서 발견되는 아름다운 꽃, 엄마의 옷감 조각들, 심지어 나무 막대기조차 펄의 장난감이었다. 한참 동안 그것들을 가지고 조몰락거려서 나름대로 몇 개의 사람 모습을 만들었다. 그리고 그 장난감들과 이야기를 시작하곤 했다. 펄의 곁에서 수를 놓고 있던 헤스터는, 아이가 뭐라고 중얼대는 모습을 지켜보았다.

"넌 내 말을 잘 듣지 않았으니 벌을 받아야 해. 또, 너 역시 악마의 소굴로 보내야 해. 너는……."

그 아이가 쏟아 내는 말들은 상대방을 벌하거나 미워하는 말들이었다. 결국에는 그 장난감들을 던져 버리거나 손으로 때렸다. 그런 펄을 지켜보는 헤스터는, 그 때마다 하늘에 계신 하느님을 찾아 마음속으로 기도를 올렸다. 이런 일들은 펄이 어렸을 때부터 조금씩 나타나곤 했던 것이었다.

펄이 아기였을 때부터 달고 있던 주홍 글씨는, 아이에게 심상치 않은 느낌을 가져다준 듯했다.

"엄마, 엄마!"

말을 배우고 사방으로 뛰어다니기 시작할 무렵이었다. 펄은 근처에서 한아름의 꽃을 꺾어 와서는 헤스터의 가슴에다 있는 힘껏 던졌다. 처음엔 아무 생각 없이 서 있던 헤스터는, 펄이 하는 놀이가 무언지 눈치채고는 깜짝 놀라고 말았다. 펄은 엄마의 옷에 달린 주홍 글씨를 겨냥하여 꽃을 던졌던 것이다. 순간 가슴의 표지를 손으로 가리고 싶었지만 헤스터는 그만두었다.

'그래, 이것 또한 내가 받아야 할 죄의 대가라면 이겨 내야지. 하지만 다른 사람도 아니고, 내 딸이 던진 꽃을 맞으니 가슴이 찢어지는 구나.'

펄은 가지고 온 꽃을 모두 던진 후에야 그 놀이를 끝냈다. 꽃을 던지는 동안 펄은 내내 헤헤거리며 웃어 댔다.

"넌, 넌 누구니?"

헤스터는 신들린 듯 펄을 향해 말문을 열었다.

"엄마 딸, 펄이지."

"아니야, 넌 내 딸이 아니야. 얘야, 잘 생각해 보렴. 네가 이 곳에 오기 전에 살았던 곳이 어떤 곳인지 말이야."

펄은 헤스터의 질문이 이상하다고 생각지 않는 듯이 순순히 대답하고는 고개를 갸웃거렸다.

"음, 잘 생각이 나지 않는걸. 엄마는 알고 있어? 내가 어디에서 왔는지."

"잘 들어. 너는 저 높은 곳에 계시는 하느님이 보내신 거란다."

엄마의 의미심장한 말을 펄은 믿으려 하지 않았다. 오히려 이 상황에서 장난기가 발동했는지, 어린애의 표정이라고는 볼 수 없는 싸늘한 얼굴로 말했다.

"아니야, 하느님은 날 만드시지 않았어."

"펄, 이 세상의 모든 것은 하느님이 내려 보낸 거야. 엄마도 그렇고, 펄 역시 마찬가지야."

"그렇지 않아!"

그리고는 다시 어리광을 부리며, 펄은 집 안 이곳 저곳을 마구 뛰어다녔다. 아마도 엄마와의 진지한 대화가 싫증이 난 모양이었다. 그런 펄을 바라다보는 헤스터는, 문득 이 곳 사람들이 수군대던 이야기가 머리를 스쳐 지나갔다.

"저 아이는 필시 악마의 아이임에 틀림없어! 부정한 여자에게서 태어난 아이는 그 죄를 벌하기 위해, 그렇게 태어난다는 옛이야기도 있잖아."

"그렇군. 마을 아이들을 대하는 모습에서도 보통 아이가 아니라는 것은 알았지만……."

엄마인 자신도 가끔 가다 펄의 상반된 모습에 의심을 품을 때가 많았기 때문에, 마을 사람들이 그렇게 생각하는 것은 당연한지도 몰랐다.

젊은 목사와 펄의 만남

헤스터 프린은 펄과 함께 벨링엄 총독의 저택을 방문하려는 계획을 세웠다. 겉으로는 총독이 주문한 공식석상에서 쓸 장갑을 가져다 주는 일 때문이었지만, 그녀의 속셈은 다른 곳에 있었다.

들리는 소문에 의하면, 그녀를 심판했던 관리들 사이에서, 헤스터와 딸을 떼어 놓아야 한다는 의견이 거세다는 것이다. 이유는 악마의 피를 이어받은 펄이 헤스터의 참회 생활에 도움이 되지 않을 뿐 아니라, 방해가 된다는 것이다. 펄 역시 불안전한 부정한 여인을 엄마로 두는 것보다는, 이 고장의 평온한 가정을 정해 그 곳에 맡겨 키우는 것이 훨씬 좋다는 결론이었다.

이런 일을 관리들이 나서서 직접 해결하려는 것도, 개척 시대에나 볼 수 있는 전형적인 일 중의 하나였다. 헤스터 역시, 이 일이 자신의 주장대로 간단히 끝날 문제가 아니라는 것을 잘 알고 있었다.

'모든 걸 포기하는 일이 있어도 이 아이만은 절대 안 돼! 내가 지금까지 살아 있는 것은 모두 이 아이 때문이야.'

이렇게 마음을 다잡아 보았지만, 무서운 법과 권력자들 앞에 서서 싸워야 하는 일은 쉽지 않았다. 펄은 엄마의 이러한 심정을 아는지 모르는지, 오랜만에 나들이하는 기분이 되어 마냥 신이 났다. 기운이 펄펄 나서 이리저리 마구 뛰어다녔다.

"엄마, 힘들어. 안아 줘!"

언제 뛰어다녔냐 싶게 펄은 금세 엄마 곁으로 달려와 안아 달라고 졸라 댔다. 그녀는 심적으로 몹시 지쳐 있었지만, 아이가 원하는 대로 살짝 안아 주었다. 하지만 엄마 품에 안긴 것도 잠시, 펄은 다시 내려 달라고 응얼거렸다.

"안 돼, 펄! 여긴 걷기에 위험한 곳이야. 조금 더 가서 내려줄게."

"싫어. 여기서 내려 줘."

할 수 없이 펄의 요구대로 땅에 내려놓기가 무섭게 펄은 앞으로 내달았다. 결국 그녀의 염려대로 좁은 길을 마구 달려가다가 그만 앞으로 고꾸라지고 말았다.

뒤에서 쫓아가며 펄의 모습을 바라보던 헤스터는 감상에 빠져들었다.

'저 아이는 마치 타오르는 불덩이 같아. 저 활기찬 모습이라든지 변덕스러운 성격까지도 말이야.'

거기다 그녀가 만들어 입힌 화사한 붉은색 비단옷은, 펄의 모습과 매우 잘 어울려 보였다. 만약 지금 저 애를 마을 사람들이 본다면, 아마 이런 말을 수군거릴지도 몰랐다.

"마치 살아 있는 주홍 글씨가 훨훨 날아다니는 것 같군!"

헤스터가 펄을 위해 만들어 준 옷과 장식품들에선, 왠지 주홍 글씨를 연상시키는 일이 우연치 않게 발견되었다. 아니면, 그녀 내면에 잠재되어 있는 생각들이, 그녀가 모르는 사이에 수를 놓은 옷에 나타나게 되었는지도 몰랐다. 아마 그녀에게 내려진 주홍 글씨는 평생 함께 해야 할 몸의 한 부분이라는 것을 잊지 않게 하려는 보이지 않는 힘일 수도 있었다.

펄과 함께 마을로 내려온 그녀가 제일 처음 만난 사람은 한 무리의 아이들이었다.

"와! 저길 좀 봐. 주홍 글씨를 몸에 달고 있는 여자와 꼬마가 이리로 온다!"

엄마의 손을 잡고 있던 펄의 손에 힘이 들어갔다.

"저리 가지 못해!"

펄은 고함을 지르며 그 조그만 주먹을 허공에 날리는 시늉을 해 보였다. 얼굴 역시 무서운 악마로 바뀌어, 저주의 주문을 외기 시작했다.

"야, 도망가자! 저 꼬마 악마가 우리들을 향해 무슨 주문을 외웠어."

혹시라도 펄이 외운 저주의 주문이 자신들에게 걸릴까 봐, 꽁무니를 빼고 아이들이 하나 둘씩 도망갔다. 승리자가 된 펄은 만족한 듯이 어깨를 으쓱거렸다.

그들이 벨링엄 총독의 목조 건물에 다다랐을 때, 펄은 그 곳이 신기한 듯 동그란 두 눈을 이리저리 쉴새없이 움직였다. 펄은 엄마가 잡은 손을 빠져 나가 자신이 보고 싶어하는 곳을 찾아 돌아다니려고 했다.

"펄, 지금은 안 돼. 조금만 참아."

헤스터는 펄의 손을 고쳐 잡고, 총독 저택의 현관 앞으로 걸어갔다. 현관은 아치 모양으로 꾸며져 있었고, 집의 여기저기에는 많은 창문이 달려 있었다. 문을 두드리자, 잠시 후 집 안에서 하인 한 명이 얼굴을 내밀었다.

"총독님을 만나 뵈러 왔습니다."

처음 본 손님의 얼굴과 모습을 살펴보던 하인의 눈길이 헤스터의 주홍 글씨 위에 머물렀다.

"실례지만, 무슨 일인가요?"

벨링엄 총독의 집에 온 지 얼마 안 된 하인은, 주홍 글씨를 옷에 달고 있는 여인의 신분이 수상하게 느껴졌다.

"계시다면 전해 드릴 물건이 있습니다. 또, 직접 뵙고 드릴 말씀도 있고요."

"지금 총독님께서는 목사님과 더불어 여러 손님들을 만나고 계십니다. 당장 만나 뵙기는 어렵습니다만……."

헤스터는 손님들과 이야기가 끝날 때까지 기다리겠다는 대답을 한 후, 들어가서 기다리겠다고 양해를 구했다. 어린아이와 함께 당당히 집 안으로 들어서는 헤스터를 본 하인은, 그녀가 틀림없이 높은 집안의 여인일 것이라고 짐작했다. 현관 문을 들어선 헤스터와 펄은, 넓은 거실에 안내되었다. 그 곳은 마치 영국의 집 안 형태를 그대로 옮겨 온 듯한 착각이 들 정도였다.

높은 천장, 큰 유리창에서 쏟아져 들어오는 햇빛, 푹신한 쿠션이 달린 의자 등이 눈에 들어왔다. 넓은 벽 한 면으로는 총독의 선조들의 초상화가 나 보란 듯이 일렬로 걸려 있었다. 온화한 모습의 얼굴들도 있었지만, 군인 출신 집안답게 굳은 표정의 초상화가 훨씬 많았다.

여러 가지 물건 중에 펄의 상상력을 자극한 것은 번쩍거리는 청동으로 된 갑옷이었다. 어느 시대에 만들어 진 것인지는 알 수 없었지만, 펄은 마냥 신기해했다. 총독의 명령대로 잘 관리를 해 놓아서인지, 윤이 나도록 닦여 있어 거울처럼 환했다. 펄은 투구와 흉갑에 얼굴을 대고, 갖가지 표정을 지어 보았다.

"헤, 이거 재미있는걸."

한동안 흉갑에 관심을 두던 펄이 엄마를 손짓해 불렀다.

"엄마, 이리 좀 와요. 여기 엄마 모습이 있어."

헤스터는 펄이 관심 있게 보고 있는 갑옷의 흉갑에는 별로 관심이 없었다. 하지만, 한번 꺼내 놓은 말은 무슨 일이 있든지 해내려고 하는 펄의 성격을 잘 알고 있었기 때문에 헤스터는 펄 가까이로 가 보았다.

"왜 그러니? 무슨 신기한 것이라도 발견했니?"

그녀는 펄이 들여다보고 있는 흉갑 위로 머리를 숙였다. 흉갑은 볼록거울과 마찬가지로 모녀의 모습을 이상하게 비추고 있었다. 그 속에는 헤스터의 모습은 보이지 않고, 다만 주홍 글씨만이 크게 확대되어 비치고 있었다. 그와 같은 모양이 투구에도 나타나 있었다.

딸의 모습 또한 그녀가 보아 오던 모습이 아니었다. 찡그리고 있는 표정은 그녀가 가끔 상상한 적이 있는 작은 악마의 모습 같기도 했다. 기분이 좋지 않은 헤스터는 더 이상 그 곳에 펄을 놔둘 수가 없었다. 곧 펄의 손을 창문 쪽으로 이끌었다.

"펄, 저쪽 창문 가로 가 보자. 아마 정원이 내려다보일지도 몰라."

정원의 모습은 기대했던 것에 미치지 못했다. 풍요로운 화원이 있는 영국과는 달리, 이 곳의 땅은 아름다운 식물이 자라기엔 좋지 않았다. 정돈되지 않은 덩굴식물들과 더불어, 잘 익은 호박 몇 덩어리가 널려 있을 뿐이었다. 그 중에 눈에 띄는 것은 사과나무와 장미나무였다.

얼마 되지 않은 장미꽃이었지만, 펄은 거기에 마음을 빼앗겼는지 갑자기 그녀의 옷을 잡아당기며 졸랐다.

"엄마, 저기 보이는 장미꽃을 꺾어 줘!"

"펄, 여기는 우리 집이 아니야. 남의 집에 와서 주인의 허락도 없이 그런 짓을 한다는 것은 옳지 못한 일이야."

"난 저기 핀 빨간 장미꽃을 갖고 싶단 말이야!"

펄은 지금 어디에 와 있는지도 잊은 채, 오직 장미꽃에만 신경을 집중하여 소리치며 떼를 부렸다. 그녀는 야단을 치며 거절했지만 펄은 이내 울음을 터뜨리고 말았다.

"어머, 얘 좀 봐. 여기가 어딘 줄 알고. 어서 울음을 그치지 못하겠니?"

"싫어! 엄마 미워!"

그 때였다. 정원 한쪽에서 두런거리는 사람 소리가 들려왔다.

"조용히 해, 펄! 이 저택의 주인이신 총독님께서 이 곳으로 들어오시려나 봐."

펄이 영 멈출 것 같지 않던 울음을 뚝 그치고 정원 쪽으로 눈을 돌렸다. 그러더니 다시 새로운 사람들에게 호기심이 일었는지, 언제 그랬냐 싶게 조용해졌다.

단정하게 차려 입은 벨링엄 총독은 자신의 집을 방문한 손님들에게 집 안을 구경시키며, 여러 가지 이야기를 해 주는 듯했다. 총독을 처음 본 사람은 재미 없고 인정이 메마른 사람일 거라고 생각할 것이다. 하지만 의외로 그에 대한 소문은, 인생의 즐거움을 맛보는 일에 적극적인 편이라고 했다. 그의 뒤를 따르는 흰 턱수염을 한 사람은 아마도 윌슨 목사일 것이다. 그는 좋은 교육을 받은 사람답게 항상 긍정적이며, 무슨 일이든지 할 수 있다는 확신을 가진 사람이었다.

여러 사람들 앞에서 설교를 할 때라든가 죄인을 다룰 때는, 엄격함이 절로 배어나 무서운 것 같지만, 개인적으로 만나 본 사람이라면 그렇지 않다는 것을 금방 알아차렸다.

"윌슨 목사님이 그렇게 마음이 따뜻한 분인지 정말 몰랐어."

"일전에 나도 개인적인 문제가 있어 만나 뵌 적이 있었는데, 많은 격려와 힘을 주셨어."

윌슨 목사 뒤로 두 사람의 손님이 더 있었다. 젊은 목사인 딤스데일 목사와 함께 걸어오는 사람은, 다름 아닌 로저 칠링워스였다. 의사라는 신분으로 이 곳에 정착한 지 삼 년이 다 되어 가는 로저 칠링워스는, 이제 이 마을에서는 유능한 사람으로 인정을 받고 있었다. 게다가 그는 딤스데일 목사의 건강을 보살펴 주는 주치의로, 늘 그의 곁에 머물렀다. 딤스데일 목사는 근래 보기에도 안쓰러울 정도로 건강이 좋지 않아 보였다. 사람들은 그가 교회 일에 밤낮으로 매달린 때문이라고 했다.

정원에서 거실로 향하는 문을 열고 처음 들어선 사람은 이 집 주인인 총독이었다. 그는 거실에 얌전히 서 있는 꼬마 아가씨를 발견하고는 깜짝 놀랐다.

"허, 웬 요정이 길을 잃고 우리 집에 왔을까?"

펄 곁에 서 있던 헤스터는 자신도 모르게, 옆에 있던 커튼 속으로 살짝 비켜섰다. 그녀를 미처 발견하지 못한 총독은, 화사한 옷을 입고 서 있는 귀여운 펄만을 본 것이었다.

"젊었을 때 궁전에서 열리는 무도회에 초대된 적이 있었지. 그런 파티에 이런 옷을 입은 귀여운 꼬마들이 돌아다녔어. 그 이후로 이런 아이를 본 것은 오늘이 처음인걸. 얘, 네 엄마는 어디 있지? 어떻게 여기까지 오게 됐어?"

펄은 맑은 눈으로 말똥말똥 쳐다볼 뿐 아무런 대답도 하지 않았다. 총독의 뒤를 따라 거실로 들어온 윌슨 목사 역시 펄을 발견하고 궁금한 듯이 물었다.

"넌 정말 무지개 같은 아이로구나. 입고 있는 옷이 썩 잘 어울리는군. 얘, 그렇게 예쁜 옷을 만들어 준 엄마는 어디 있지? 혹시 교회를 다닌 적이 있니? 난 네 얼굴을 본 적이 없는데, 이름을 가르쳐 줄 수 있니?"

"엄마와 함께 이 곳에 왔어요. 내 이름은 펄이라고 해요."

"흠, 펄이라? 그래 아주 예쁜 이름이구나. 하지만 루비나 산호 같은 이름이 네게 더 잘 어울릴 것 같구나."

윌슨 목사는 또박또박 대답을 하는 펄이 귀여워서, 장밋빛 같은 양볼을 살짝 건드리려고 손을 내밀자, 펄은 한 발짝 뒤로 물러섰다. 커튼 뒤에 숨어 있던 헤스터가 그들 앞으로 한 걸음 다가섰다. 펄과 이야기를 나누던 윌슨 목사가 그녀를 발견했다.

"아, 이제 알겠군. 이 아이가 바로 우리가 조금 전까지 앞으로의 일을 의논했던 헤스터의 딸이로군."

총독은 윌슨 목사의 설명을 듣고, 그제야 펄의 존재를 알아차렸다.

"흠, 헤스터! 잘 와 주었군. 그럼 저리로 가서 아이의 문제에 대해서 이야기를 좀 나누도록 합시다."

곧 윌슨 목사 뒤로 두 사람의 손님도 자리를 함께 했다.

"헤스터, 오늘 의논할 일은 다름이 아니라 저 아이의 양육 문제야. 그동안 마을 사람들과 여러 관리들이 합의한 바는, 저 아이를 당신과 함께 있게 하는 것은 올바른 일이 아니라는 것이지. 괜찮은 가정을 선택하여 예의범절을 배우게 하고, 지켜야 할 법과 규칙을 배우도록 하는 것이 저 아이의 장래를 위해서도 훨씬 나을 것이라는 생각이 드는데, 당신 생각은 어떤지 말해 주게."

총독의 사무적인 어조에 헤스터는 잠시 마음을 가다듬고 입을 열었다.

"총독님, 제가 이 아이에게 분명히 가르쳐 줄 수 있는 것은 가슴에 달고 있는 부정의 표지에서 얻은 교훈들입니다."

"무슨 소리야? 우리들은 바로 그것 때문에 당신에게서 저 아이를 떼어놓으려는 것인데, 도대체 그 표지에서 무얼 이 아이에게 가르친단 말이냐?"

헤스터의 단호한 대답을 들은 총독은 어이가 없다는 표정이었다.

"물론 대부분의 사람들이 그렇게 생각할지도 모릅니다. 하지만 이 부정의 표지는 이제까지 느낄 수 없었던 많은 것을 깨닫게 했습니다. 지금 말로는 다 설명드릴 순 없지만, 앞으로 저 아이를 키우는 데 많은 도움을 줄 것입니다."

"흠, 당신이 말하는 뜻을 이해한다고 할 수는 없어. 하지만 아이의 문제를 당장 결론짓기엔 힘들 것 같군."

총독은 잠시 난감한 표정으로 말이 없었다.

"윌슨 목사, 우선 저 아이의 상태가 어떤지 알아야겠어. 헤스터가 저 아이에게 얼마나 많은 그리스도인의 자질을 심어 주었는지 궁금하군."

총독의 부탁을 받은 목사는 펄에게 손을 내밀어 자신에게 오도록 했다. 하지만 펄은 낯선 사람의 친절을 받아들이는 데 익숙하지 못했다. 펄은 정원으로 열려 있던 창문을 향해 냅다 달아나기 시작했다.

"다른 애들과는 조금 다른 느낌이군."

윌슨 목사는 자신의 신분과 어울릴 만큼의 관용을 지니고 있는 사람이었다. 헤스터가 다시 데려온 펄을 조심스럽게 다루었다.

"너를 혼내려는 게 아니야. 내가 묻는 말에 솔직히 대답해 줄 수 있지? 펄은 누가 만들어서 이 곳으로 왔을까?"

펄은 이 나이 든 목사가 자신에게 무엇을 묻는지 알고 있었다. 또, 그 대답을 어떻게 해야 하는지도 잘 알았다. 엄마에게 늘 들어왔던 질문이었기 때문이다. 헤스터는 펄의 얼굴을 옆으로 쳐다보았다. 엉뚱한 아이인지라 혹시 실수라도 하지 않을까 하는 조바심이 났다. 그 곳에 있는 사람들은 모두 펄이 어떻게 대답할까 궁금해하며, 펄의 입만 바라다보았다. 하지만 펄은 윌슨 목사의 물음에 즉시 대답하지 않았다.

"펄, 어서 목사님이 묻는 말에 대답해야지."

엄마의 타는 가슴을 외면한 채, 또다시 펄의 머릿속엔 어른들을 골려 줄 나쁜 생각이 떠올랐다.

"나는 엄마가 감옥 문에 널려 있는 장미꽃에서 따온걸요."

역시 펄다운 대답이었다. 조금 전에 총독의 정원에서 장미꽃을 따다 달라고 했을 때, 그것을 거절한 엄마에 대한 복수심 때문에 이렇게 말했는지도 몰랐다.

"세상에, 저런! 이 아이의 머릿속은 무엇으로 차 있을까? 세 살이나 된 아이가 이런 엉뚱한 대답을 하다니 말이야. 가장 간단한 질문조차도 대답하지 못하니, 더 이상 물어 볼 필요도 없는 것 같군. 여러분들의 생각은 어떠시오?"

총독은 어린아이의 마음이란 흔들리는 갈대와 같다는 것을 알지 못하는 듯, 펄의 대답을 매우 충격적으로 받아들였다.

갑자기 불안한 생각이 든 헤스터는, 두 손을 벌려 펄을 자신의 품에 꼭 안았다. 자신이 지은 죄에 대해서는 무슨 벌이라도 달게 받겠지만, 이 아이만은 아무 데도 보낼 수 없다는 의지를 보였다. 모든 어머니가 그렇겠지만, 아이에 대한 권리는 함부로 포기할 수 없었다. 특히 자신에게 펄은 생명과도 같은 존재였다.

"펄은 내게 남은 마지막 선물입니다. 모든 것을 잃어버린 나를 위해 하느님께서 보내 주신 아이입니다. 저는 펄에게서 희망을 보고 살아갈 마음을 가집니다. 여러분이 알다시피 이 아이는 살아 있는 주홍 글씨로, 저의 죄를 항상 일깨워 주는 역할을 하는 동시에, 이 세상에 그 대가를 어떻게 갚아야 하는지 가르쳐 줍니다. 맹세하건대, 절대 이 아이를 다른 사람들에게 넘겨 주는 일은 없을 겁니다."

윌슨 목사는 헤스터의 이야기를 진지하게 들었다.

"당신의 심정은 이해하겠지만, 현재로선 이 아이를 당신에게만 맡겨 두는 것은 불안전한 일인 것 같소. 이 아이에게 알맞은 좋은 부모를 선택해서 훌륭히 자랄 수 있도록 하겠으니 그리 아시오."

"펄은 하느님이 제게 주신 아이예요. 목사님의 말씀을 따를 수가 없어요."

헤스터는 거의 비명에 가까운 소리로 울부짖었다. 잠시 잃었던 냉정함을 다시 찾은 그녀의 머릿속을 스쳐 지나가는 것이 있었다.

'그래, 딤스데일 목사에게 부탁해 보자.'

그녀는 한자리에 있으면서 눈길 한 번 주지 않았던 젊은 목사에게, 애원하듯 간절히 부탁했다.

"딤스데일 목사님, 제 소원입니다. 부디 저를 위해 이분들을 설득해

주세요. 제 사정을 잘 아실 터이고, 모든 사람들에게 항상 너그러운 마음을 가지고 계신 분이니 이해해 주시리라 믿어요. 이 아이가 없어지면 제게 남는 것은, 죄의 표시인 주홍 글씨뿐이에요. 아이를 잃은 엄마에겐 살아갈 희망이 없다는 것은 자연스러운 거예요. 제발 도와주세요!"

애끊는 그녀의 심정을 아무 말 없이 듣고 있던 젊은 목사의 얼굴도 비통함에 빠져 있었다. 목사는 주체할 수 없는 감정을 정리하기 위해, 자신의 가슴에 손을 얹었다. 처형대 위에 있던 헤스터를 설득하던 젊은 목사의 모습은, 그 때보다 훨씬 수척해 보였다. 그의 눈 속엔 고뇌라는 그림자가 어려 있었다.

"이 여자의 애원 때문만이 아니라 제 생각으로도, 이 여인의 말에 귀를 기울여야 할 것입니다. 하느님이 이 아이를 헤스터에게 내려 주신 것은 사실이고, 우리는 함부로 그 권리를 빼앗아서는 안 됩니다. 게다가 이 어린아이가 가지고 있는 본성을, 이 여인이 잘 알고 다스려 나갈 것입니다. 그것은 아이의 어머니만이 지닌 본능입니다. 사람들이 겉으로만 보고 평가하는 그 외에, 다른 무엇이 있다는 생각이 들지 않으십니까?"

젊은 목사의 목소리는 약간 떨렸으나, 오히려 그 자리에 있는 사람들에게 감동을 줄 수 있는 힘이 있었다.

"딤스데일 목사, 당신의 의견을 조금 더 말해 주시오."

"예, 한 남자와 한 여자의 부정함으로 태어난 저 아이는, 그들의 죄를 깨닫게 하려고 하신 하느님의 뜻입니다. 이 아이는 그들에게 양면적인 두 가지를 일깨워 주고 있습니다. 저 여인에게 줄 수 있는 자비와 벌을 함께 내려 주신 것입니다. 헤스터 역시 하느님의 뜻을 깨닫고, 그것을 감당해 내려고 하고 있습니다. 세상의 기쁨과 고통을 함께 가지고 있음은, 저 아이의 옷차림에서도 볼 수 있습니다."

거기에 모인 사람들은 젊은 목사의 설교에 고개를 끄덕였다.

"그럴 수도 있겠군. 그런 생각까지는 미처 하지 못했네."

"헤스터는 자신에게 이 어린아이가 어떤 존재라는 것을 잘 알고 있을 겁니다. 다시 빠질 수도 있는 악의 구렁텅이에서 나올 수 있는 유일한 방법이 어린아이라는 것까지도 말입니다. 행복과 슬픔을 동시에 느낄 수 있는 아이를 기를 수 있는 권리를, 저 여인에게서 빼앗아서는 안 됩니다. 하느님이 선택하신 일을 그냥 지켜보는 것이 우리들이 할 도리입니다."

이제까지 한 마디 말도 하지 않은 채, 듣기만 하던 로저 칠링워스가 불쑥 한 마디 던졌다.

"목사님의 설교는 마치 이런 일을 겪어 본 사람의 말처럼 들리는군요."

의사의 말을 이어 윌슨 목사도 감명을 받은 듯 덧붙였다.

"비록 나이가 젊긴 하지만, 목사의 신분으로 훌륭한 변론을 하셨소. 나도 딤스데일 목사의 의견에 찬성하오."

"흠, 참으로 훌륭한 이야기요. 딤스데일 목사의 의견대로 이 일을 결정하도록 합시다. 하지만 앞으로도 계속 지켜볼 것이니, 헤스터는 항상 몸가짐을 올바르게 하도록 하시오. 한 가지 덧붙일 말은, 아이에게 교리 문답 시험을 볼 수 있도록 목사님들께서 각별히 지도해 주시고, 학교 갈 나이가 되면 더욱더 관리를 철저히 해 주시오."

총독은 이 일을 이렇게 마무리지었다. 헤스터가 안도의 한숨을 내쉬는 동안, 딤스데일 목사는 천천히 창가로 향했다. 그의 얼굴은 두꺼운 커튼에 가려져 그 표정을 알아볼 수 없었다. 하지만 조금 전의 일이 그로서는 상당히 벅찬 일이었음은, 그의 어깨가 가볍게 떨리고 있음을 보고 알아차릴 수 있었다.

어른들의 관심이 자신에게서 벗어나 있음을 눈치챈 펄은, 이리저리 고개를 돌려 보며 새로운 장난거리를 찾았다. 펄은 이내 장난칠 대상을 물색이라도 한 듯이, 창가에 서 있는 젊은 목사를 향해 잽싸게 뛰어갔다.

펄은 조그만 손을 내밀어 젊은 목사의 큰 손을 잡았다. 그리고는 이내 자신의 발그레한 양볼을 그 손에 비벼댔다.

젊은 목사도, 들꽃 같은 성격의 펄이 자신에게 한 행동에 깜짝 놀랐다. 헤스터의 입에선 저절로 탄식하는 소리가 새어 나왔다.

"어머, 쟤 좀 봐."

도무지 펄의 평소의 모습 같지 않았다. 다른 사람들은 아마도 펄이 자신의 어머니와 살도록 잘 이야기해 준 딤스데일에게 감사의 표시를 하는 것이라고 여겼다. 젊은 목사도 이내 정신을 차리고, 그 답례로 펄의 장밋빛 뺨에다 살짝 입술을 댔다. 그러자 펄은 제정신으로 돌아왔는지 깔깔대며, 다시 거실 이곳 저곳을 폴짝폴짝 뛰면서 마구 돌아다녔다. 윌슨 목사는 어이없는 웃음을 지으며 한 마디 던졌다.

"참 도무지 알 수 없는 아이야. 조용하다가는 금세 날뛰는 말처럼 변해 버리는걸. 아마 마술을 부리는 마법사가 아닐까?"

농담으로 던진 목사의 말을, 늙은 의사인 로저 칠링워스는 재빨리 받아넘겼다.

"참 흥미로운 아이로군요. 원래 아이들의 성격이란 거의가 그 부모님에게서 받는다고 합니다. 분명 헤스터와 성격이 비슷할 겁니다. 이제까지 드러나지 않는 저 아이의 아버지를 찾는 데, 아이의 성격이나 체질을 분석해 보는 것도 좋은 방법일 것 같군요."

"아니오. 이런 문제는 파헤칠수록 좋지 않은 방향으로 흘러가게 마련입니다. 신이 하는 대로 놔두어도 언젠가는 진실이 밝혀지게 되어 있어요. 그 때가 언제 올지는 모르지만 참고 기다리도록 합시다."

윌슨 목사는 의사의 말을 손을 내저으며 반박했다.

의사와 젊은 목사

이 고장의 의사 중 한 사람이 된 로저 칠링워스는 본명이 아니었다. 그는 여러 곳을 돌아다니다가 마침내 아내가 있는 곳을 찾아왔다. 하지만 그가 이 곳에 와서 처음 본 것은, 처형대 위에서 자신을 맞는 아내 헤스터의 모습이었다. 그는 몹시 배신감을 느껴야 했고, 그 다음으로 생각한 것은 굳이 자신의 정체를 이 곳 사람들에게 알릴 필요가 없다는 것이었다.

이 곳에 자신의 거처를 정하기로 마음먹은 그는, 헤스터만 입을 다물어 준다면 자신이 그녀의 남편이었다는 사실은 영원히 알려지지 않을 거라고 확신했다. 만약 이 곳 사람들이 이 일을 알게 되면, 자신에게는 명예스럽지 못한 낙인이 찍힐 것이다.

로저 칠링워스라는 새로운 이름을 만든 그는 곧 이 곳에 머물면서 자신이 할 수 있는 일이 무엇인지 생각했다.

'그래, 그 동안 연구했던 분야를 바탕으로 의사라는 일이 좋겠어. 사람들과 사귈 수 있는 기회도 많고 내가 잘 아는 일이니까.'

그는 얼마 지나지 않아, 마을에서 없어서는 안 될 존재가 되었다. 개척지에는 의사라고 부르는 신분들이 아직까지 건너오지 않았기 때문에, 사람들은 나이 든 노인의 오래된 비법이나 교회 집사 정도의 사람에게 아픈 곳을 치료받곤 했다. 대부분의 집사는 깊은 신앙심에 의지하여 환자의 병을 돌보았을 뿐, 제대로 된 의술을 가진 사람이 없었다.

"자네, 소식 들었나? 우리 마을에 공부를 많이 한 의사 양반이 들어왔다고, 지금 너나 할 것 없이 치료를 받으러 간다네. 그 의사가 지어준 약초라는 것이 신통하게 아픈 데 잘 들어서, 몇 번만 먹으면 낫는다는군."

"그래? 그럼 일 마치고 나도 한번 가 봐야겠어. 전부터 허리가 아팠는데 그냥 내버려두었더니 요즘은 견딜 수 없는 통증으로 도무지 잠을 잘 수가 없어."

치료를 잘 받은 마을 사람들의 입소문으로 인해, 그의 명성은 삽시간에 널리 퍼져 나갔다.

"고맙습니다, 선생님. 제 병이 이렇게 낫게 되리라고는 생각지도 못했습니다."

"완전히 나은 것이 아니니 앞으로도 항상 조심해야 합니다. 절대 무리한 일을 해서는 안 됩니다."

로저 칠링워스는 의술이 뛰어난데다가, 사람들에게 항상 친절하게 대해 주었다. 게다가 신앙심도 깊어 나무랄 데가 없다고 사람들은 칭찬을 하곤 했다. 그는 얼마간의 시간이 흐른 후, 딤스데일 목사에게 자신의 종교 생활을 이끌어 줄 것을 의논했다. 옥스퍼드 대학에서도 이 젊은 목사의 이름은 널리 알려져 있을 만큼 똑똑하고 성실한 사람이었기 때문에, 이 곳 사람들은 그를 매우 존경했다.

젊은 목사는 건강이 회복된다면 개척지에서 그리스도교의 한 업적을 이룰 수 있을 것이라 평가받고 있었다. 이 즈음 딤스데일 목사의 건강은 점점 더 나빠지고 있었다. 마을 사람 누구나 그의 얼굴이 점점 핼쑥해져 간다는 사실을 느끼고 있었다.

"우리 목사님이 요즘 들어 더 기운이 없어 보여. 앞으로 하실 일이 많으신 분이 점점 쇠약해지다니 큰일이야."

"교회의 일을 너무 열심히 하신 탓일 거야. 게다가 얼마 전에는 흐트러진 마음을 정돈하기 위해 단식을 하셨다고 교회 신도가 이야기하더군."

"뭐? 며칠 밤을 새워 기도를 드린 게 엊그제인데, 또 단식을 하신다고?"

목사를 존경하는 사람들은 그의 열정적인 신앙심에 혀를 내두를 정도였다. 사람들은, 저렇게 지내다가는 젊은 목사의 목숨이 위태로울 것이라고 했다. 이 즈음에 나타난 로저 칠링워스라는 의사는, 젊은 목사를 위해서도 반가운 일이 아닐 수 없었다. 사람들은 갑작스런 의사의 출현을 하느님이 내리신 기적이라고 이야기하면서 즐거워했다.

새로운 의사에 대해 아무것도 아는 것이 없는 그들로서는 그렇게 생각할 수밖에 없었다. 더구나 그가 자신들이 알지 못하는 나무와 꽃, 풀

등에서 치료약을 찾아내는 것을 신비스럽게 지켜보았다.

"얼마 전 새 의사 선생님에게 온 편지를 내가 전해 준 적이 있었는데 말이야. 보낸 사람이 많이 들어 본 이름인 것 같아서 알아봤더니……."

"그래, 보낸 사람이 누구라던가?"

"유럽 쪽에서도 명성이 대단한 학자라고 하더군."

"그거 참 이상한 일이군. 그럼 우리 의사 선생님도 대단한 분이신데, 왜 이런 곳에서 사소한 일을 하시면서 지내고 계실까?"

사람들은 늘 궁금해하며 더 큰 존경심으로 새로운 의사 선생을 바라보았다. 그들은 결국 한 가지 결론에 도달했다.

"아마도 이 곳에서 헌신하고 계신 딤스데일 목사를 위해, 유럽의 유명한 의학 박사님을 이 곳으로 모셔다 놓은 게 맞을 거야."

어이없게 들릴지 모르지만 그들의 생각에도 일리가 있었다. 새로운 의사는 웬일인지, 젊은 목사의 사소한 생활부터 시작하여 여러 가지에 관심을 가지고 있었다. 물론 그의 건강을 염려하는 것은 당연한 일이었다.

마을 사람들은 날로 쇠약해져 가는 젊은 목사의 이상한 병을 걱정하여 새 의사를 소개시켜 주었고, 의사의 말로는 자신의 지시에 따라 잘만 치료하면 나을 수 있다는 희망적인 말을 했다. 하지만 딤스데일 목사는 단번에 거절했다.

"호의는 감사합니다만 제 병은 제가 잘 압니다. 새 의사에게 치료는 받지 않겠습니다."

결국 교회의 여러 목사와 집사들이 나서서 그를 설득한 끝에 젊은 목사는 로저 칠링워스를 만나 보기로 했다.

"인간이 죽고 사는 일은 모두 하늘의 뜻입니다. 내 목숨이 언제 끝날지는 모르겠지만, 죽음 따위에 연연해하지는 않을 것이오. 나의 끊일 줄 모르는 고통이 죽음과 함께 사라질 것이고, 내 영혼은 하느님과 함께 할 것이니까.”

“그렇게 생각할 수도 있죠. 대부분 혈기 왕성한 젊은 목사들이 그런 말들을 하는 것을 들은 적이 있어요. 그건 이 세상을 쉽게 버리고, 하느님과 함께 할 행복한 순간만을 바라고 있다는 말처럼 들리는군요.”

젊은 목사는 새로운 의사의 스스럼없는 말에 흠칫 놀랐다.

“그런 뜻이 아니오. 설사 내가 천당에 갈 자격이 있는 사람이라고 하더라도, 이 곳을 하찮게 여기는 것은 아니오.”

“흠, 겸손하신 말씀이군요.”

결국 새로운 의사의 호의를 받아들여 딤스데일 목사는 그를 주치의로 삼았다. 의사는 젊은 목사의 병을 살피는 데에만 주의를 기울이는 것이 아니라, 그의 성격과 주변에 일어나는 갖가지 일들에 대해서도 관찰하기 시작했다.

의사와 목사는 자연스럽게 친구가 되어, 함께 있는 시간이 많아졌다. 의사가 약초 채집을 위해서 숲 속을 돌아다닐 때, 젊은 목사는 자신의 건강을 위해 숲을 거닐었다. 그리고 목사가 시간이 날 때면 그의 서재에서 의사와 여러 가지 잡다한 이야기들을 나누곤 했다. 젊은 목사는 의사가 학문적 깊이가 깊은데다가 아는 것이 많고, 자유로운 생각을 가진 사람이란 걸 느낄 수 있었다. 마치 이제까지 마셔 보지 못한 신선한 공기 같았다. 하지만 너무 오랫동안 맡고 있으면 숨이 막힐 것 같은 느낌이 들 때도 있었다.

로저 칠링워스가 목사에 대해 지대한 관심을 갖는 이유는, 겉으로 나타나지 않는 병은 마음에서부터 비롯되는 경우가 많기 때문이었다. 그래서 환자의 생각이나 특성, 감정 등을 잘 알아야만 치료를 잘하는 데 도움이 되었다. 특히 젊은 목사의 경우는 매우 섬세한 감정을 가진 사람이었기 때문에, 그와 많은 시간을 함께 해야 그의 내면 세계를 들여다볼 수 있었다.

의사는 자신이 짐작하고 있는 인물 주변에서, 다른 사람의 눈치를 볼 필요 없이 마음껏 관찰하고 시험해 보았다. 의사와 젊은 목사는 시간이 흐를수록 점점 더 친해져, 이제는 주변에서 일어나는 사건과 현상에 대해 스스럼없이 자신들의 의견을 이야기했다.

'흠, 저 젊은 목사는 자신의 모든 이야기를 나와 의논하는 것 같지만, 뭔가 중요한 비밀을 내게 숨기고 있는 게 틀림없어. 그게 내가 알려고 하던 일과 맞아떨어질지도 몰라. 어떤 방법을 써야 저 사람의 속마음을 알 수 있을까?'

이런 생각은 곧 행동으로 옮겨져, 결국 의사는 젊은 목사와 한 집에서 살 수 있도록 방법을 취했다. 이 일은 마음만 먹으면 할 수 있는 일이었다.

"윌슨 목사님, 의논드릴 말씀이 있습니다."

"호, 로저 칠링워스 의사 선생님이 아닌가? 무슨 일이라도 있나?"

"사실은 딤스데일 목사의 건강 문제로 이렇게 왔습니다. 제가 신경을 쓰고 있지만 요즘 다시 목사님의 건강이 썩 좋지 않습니다."

"큰일이군. 자네 생각으로는 앞으로 어떻게 했으면 좋겠나?"

"예, 제 생각은 딤스데일 목사님과 옆에 누군가가 함께 살면서 있어 줬으면 하는 바람입니다. 그 역할을 제가 할 수 있도록 허락하신다면 영광입니다만……."

"그래 줄 수 있겠소? 딤스데일 목사에게 그렇게까지 신경을 써 주니, 당신은 참으로 대단한 사람이오."

결국 두 사람은 젊은 목사를 대단히 존경하는, 교회 신도 중 한 사람인 미망인의 집에 거처를 정하게 되었다. 친절한 이 여인은 젊은 목사를 위해 그 집에서 가장 조용하고 햇빛이 잘 드는 방을 내주었다. 몸이 피곤할 때는 창문에서 쏟아져 들어오는 햇빛을 막기 위해, 색이 짙은 두꺼운 커튼을 쳐 주는 배려까지 해 주었다.

딤스데일 목사는 마음씨 좋은 미망인에게 감사의 인사를 한 후, 그 방에 자신의 책들을 옮겨다 놓았다. 목사의 맞은편에 위치한 방에는 의사인 로저 칠링워스가 묵었다. 그는 그 곳을 연구실로 꾸며 놓았다. 정교하고 대단한 과학 기구들이라고는 할 수 없었지만, 나름대로 증류기와 함께 약품을 조제하는 도구들이 놓여 있었다.

두 사람은 자신들의 일을 충실히 이행하면서, 서로의 방을 자유롭게 들락거렸다. 특히 의사는 젊은 목사가 방을 비울 때도, 무엇을 찾으려는 듯이 그의 방에 몰래 들어가곤 했다. 그 고장의 사람들은 두 사람이 함께 살게 된 일이 다행이라고 여기면서, 자신들이 존경하는 목사의 병이 하루빨리 낫기를 간절히 바랐다.

이 즈음, 마을에서는 로저 칠링워스에 대한 이상한 소문이 사람들의 입을 통해 여기저기 나돌았다. 이 소문을 퍼뜨린 사람은 이 마을에 살고 있는 구두 직공 노인이었는데, 그의 말로는 로저 칠링워스 의사 선생님을 어디선가 본 기억이 있다는 것이다. 자신이 런던에 살 당시, 사람들을 떠들썩하게 했던 토머스 오버베리 경의 살인자와 관련되어 있던 걸로 기억했다.

그가 광장에 처음 나타났을 당시, 인디언들과 함께 있었던 사실은 또 다른 소문을 만들어 냈다. 로저 칠링워스가 인디언들에게 배운 것은 약초를 찾아내고 사용하는 방법 외에도 주술을 써서 사람을 살려 내는 것이었다. 마을 사람들은 그들이 함께 살면서부터 달라진 점에 관심이 많았다. 그 중에서도 눈에 띌 만한 일은 바로 로저 칠링워스의 모습이었다. 그가 이 곳에 와서 의사 노릇을 한 몇 년 간, 그는 참으로 다정다감

하고 학자답게 점잖았다. 그런데 이 즈음에 그의 얼굴에 나타난 표정은 얼음이 얼 정도로 차갑게 느껴졌으며, 비굴하고 어두운 그림자가 그의 온몸을 휘감고 있는 듯했다.

"참 이상하지. 목사님과 함께 살기 시작하면서 의사 선생님의 표정이 예전처럼 온화한 것 같지 않아. 오히려 신앙심이 깊은 우리 목사님과 함께 있는 시간이 많아졌다면, 더 인간적인 사람으로 바뀌어야 하지 않을까?"

"자네, 소식 못 들었나? 의사 선생님의 방에는 이 세상에서 볼 수 없는 희귀한 물건들이 많은데, 새로운 실험을 하는 날엔 지옥에서 시뻘건 불을 가져다가 쓴다는군. 그래서 그 실험을 한 날에는 얼굴이 그 불길에 닿으면서 점점 그렇게 변해 간다고 하네."

일부 교회 신자들은, 사람들이 이렇게 소문을 내는 것에 대해 나름대로 해석을 했다. 즉, 자신들이 존경하고 있는 딤스데일 목사가 의사의 신분으로 나타난 로저 칠링워스란 악마에게 시달림을 받고 있다고 생각했다.

"틀림없어! 악마의 심부름을 받고 우리 목사님에게 접근하고 있는 의사는, 차츰 실제 모습을 드러내면서 목사님을 괴롭히고 있는 거야. 아주 그럴듯한 모습으로 사람들이 의심할 수 없게 나타나서는, 허락된 몸짓으로 드러나지 않는 방법을 써서 목사님에게 피할 수 없는 마음의 고통을 안겨 주는 거야."

"나도 때론 그렇게 느낄 때가 있어. 처음엔 설마 했는데 요즘 들어 의사의 몸짓이 마치 악마에게 영혼을 판 인간이란 느낌을 지울 수가 없어. 그의 의술이 날로 대단해지는 것까지 말이야. 하지만 분명 이런 싸움의 결말은, 하느님이 진실한 사람에게 손을 들어 주리라 믿고 있어."

자신들의 목사님의 승리를 확신하는 그들은, 한편으론 그 동안에 겪게 될 목사의 심적 고통과 괴로움에 대해 안쓰러워했다. 이 곳 사람들이 느끼는 것처럼, 로저 칠링워스는 처음부터 악랄한 사람은 아니었다. 대단한 인격을 가진 사람은 아니었지만, 그런대로 순수한 인물이었다. 대부분의 학자들이 가진 성품을 지닌 그는, 자신의 연구에만 몰두하여 세상일엔 별 관심이 없었다. 그런 그가 헤스터의 배신으로 인해 마음의 상처를 입으면서, 학자다운 집요함이 젊은 목사에게로 방향을 바꾼 것이었다.

의사는 나름대로 헤스터와 자신을 이렇게 비참하게 만든 장본인이 젊은 목사가 아닐까 하는 막연한 의심을 전부터 가지고 있었다. 끊일 줄 모르고 일어나는 의심의 쇠사슬을 잘라 내지 못한 그는, 결국 점점 그 속으로 빠져들어 헤어나올 줄 몰랐다. 오히려 목사의 약한 심장 속으로 들어가, 그를 조종하고 탐구하는 데 그의 인생을 걸기라도 한 것처럼 즐기고 있었다.

'딤스데일 목사에게서 이제까지 얻어 낸 것이라곤 참으로 고귀한 것들뿐이로군. 폭넓은 인간에 대한 사랑, 순수함, 원래부터 지녔던 것 같은 깊은 신앙심 등은 내가 찾고 있는 것들이 아니야.'

그가 찾고 있는 것들은 젊은 목사가 지닌 것과는 상반된 것으로, 간단히 말하자면 이 세상 사람들이 말하고 있는 이른바 악의 모습이었다. 의사는 딤스데일 목사가 눈치채지 못하도록 살금살금 접근하거나, 때로는 멀리 돌아가는 방법을 썼다.

원래 남을 의심하는 데 익숙치 않은 목사는, 처음엔 이 도둑고양이 같은 의사의 접근을 알아채지 못했다. 하지만 가끔씩 알 수 없는 무서움이 들곤 할 때면, 영락없이 의사의 시선이 자신에게 닿아 있다는 걸 알고는 소스라치게 놀라곤 했다.

'아, 저 의사라는 사람은 도대체 누굴까? 가끔씩 나 자신도 모르는 내면 세계를 알아내려고 불을 켜고 달려드는데, 무슨 까닭이라도 있는 걸까?'

하지만 젊은 목사는 의사가 내미는 악마의 손길을 단박에 뿌리칠 수가 없었다. 의사는 친절과 호의라는 단단한 껍질로 무장하고 있었기 때문이었다. 게다가 석연치 않은 것에 대해 물어 보려고 하면, 의사는 벌써 그에게 무관심한 표정을 짓고 있었기 때문에 더욱더 말을 꺼내기가 어려웠다.

'아니, 아닐지도 몰라. 내가 너무 예민해져 있어서야. 저 의사는 나의 병을 낫게 해 주려고 내 생각을 좀더 알려고 할 뿐일 거야. 그런데 왜 이렇게 내 마음은 진정되지 않고 오히려 전보다 더 불안할까?'

젊은 목사는 오히려 남을 의심하는 자신을 나무랐다. 그가 좀더 냉정한 눈으로 의사를 살펴보았다면, 좀더 쉽게 그가 하려는 짓을 알 수 있었을지도 몰랐다. 하지만 목사는 자신이 저지른 일로 몹시 괴로움에 싸여 있어, 다른 사람의 마음속을 정확히 꿰뚫어 보지 못했다. 그는 약간의 의심은 가지고 있었으나, 여전히 의사와 이야기를 나누거나 자신의 방으로 초대하여 여러 가지 일을 의논하였다. 가끔은 의사의 방을 찾아가 그가 하는 실험을 신기한 듯이 지켜보기도 했다.

어느 여름 날, 의사의 방을 찾은 젊은 목사는 창가에 기대서서 창 밖을 내다보며 로저 칠링워스에게 무심코 하듯 한 마디 던졌다.

"책상 위에 늘어놓은 검은 풀들은 어디서 구하셨나요?"

그러면서 젊은 목사는 얼른 의사의 눈을 쳐다보고는, 눈길을 다시 창문 쪽으로 돌렸다. 요사이 목사의 새로운 버릇이라면 상대방의 눈을 똑바로 쳐다보지 않는다는 것이었다.

"이 집에서 조금 떨어진 곳에 있는 묘지 근처에서 캤어요. 이름을 알 수 없는 약초인데, 죽은 자의 이름이 새겨져 있지 않은 곳에 피어 있더군요. 아마도 이것들은 죽은 자의 어떤 한스러움이 맺혀 피어난 것은 아닌지 모르겠어요. 살아생전에 말하지 못한 비밀이 죽은 다음에 이렇게 이름 모를 꽃으로 나타날 줄이야."

의사는 약초를 고르는 일을 계속하면서 아무렇지도 않은 듯이 이야기를 늘어놓았다.

"글쎄요. 남에게 도저히 고백할 수 없는 비밀이란 것이 이 세상에 너무도 많기 때문에, 살아 있을 때 다 말해 버리라고 할 수는 없을 겁니다. 본인은 말해 버리고 싶었을지도 모르겠지만……."

"비밀을 가진 사람이 원한다면 그렇게 하면 되지 않을까요? 모든 사람들과 이 세상의 이치가 죄를 밝힐 것을 권하고 있습니다. 살아생전에 자신들이 저지른 죄에 대한 대가를 치르고, 이 세상을 끝내는 것이 올바른 일이 아닐까요?"

젊은 목사는 엉뚱한 곳으로 이야기가 흘러가자, 잠시 당황한 빛이 얼굴에 어렸으나 이내 성직자다운 표정으로 되돌아왔다.

"의사 선생님, 그렇게 말씀하시는 것처럼 이 세상은 간단하지가 않습니다. 그 어려운 결정을 내리실 분은 하느님입니다. 만약 어두운 비밀이 밝혀진다고 해도, 인간들에게 받을 수 있는 죄의 대가가 진정한 벌이라고는 생각지 않습니다. 그들 대부분의 사람들은 죄인을 비웃고 처참하게 만들지 모르지만, 그건 하느님이 원하시는 것이 아닐 겁니다. 비밀을 가진 사람은 언젠가 때가 오면 다른 사람의 권유에서가 아니라, 자신의 무한한 기쁨을 가지고 사람들 앞에 나서서 고백할 겁니다."

"이해할 수 없어요. 죄를 가진 사람이 왜 그 시기를 늦추려고 하는 걸까요? 언젠가는 고백할 작정이면, 왜 빨리 심판을 받지 않으려는 거

지요? 시간이 갈수록 점점 더 괴로울 게 뻔한데 말이에요."

"아직 혼란스러운 마음 때문일지도 모르겠군요."

젊은 목사는 잠시 자신의 손을 가슴에 대고 아무 말이 없었다. 의사는 이 기회를 놓치지 않고 또다시 질문을 던졌다.

"왜 그런 사람들은 누군가에게 구원의 손길을 내밀어서, 답답한 심정을 고백하려고 하지 않을까요?"

"개인적인 특성 때문이겠지요. 아직도 이 세상에서 할 일이 남아 있다고 생각하거나, 자신의 손길이 필요한 사람이 많다고 여겨 조금 더 기다려 보려는 건지도 모르겠군요. 사람들로부터 죄인이라는 낙인이 찍혀 외면을 받게 되면, 더 이상 이 세상에서 할 일이 없어지게 되는 것이 두려운 것이지요. 그래서 지은 죄를 숨기고 사람들을 속이고 있지만, 늘 불안한 마음을 갖고 있겠지요."

"그건 자신을 속이고 있기 때문이지요. 그런 사람들은 자신의 내면에 있는 악의 무리들과 싸우려는 것을 포기한 것입니다. 겉으론 아무리 하느님의 종인 것처럼 행동하지만, 하느님도 그들 편이 되어 주지 않을 겁니다. 그들이 진실로 이 세상 사람들을 위해 봉사하려는 마음을 가지고 있다면, 죄를 고백한 후에 그런 행동들을 해야 합니다. 당신도 그런 흉악한 가면을 쓴 사람들이 착한 일을 하려는 것을 이해해야 한다고 생각하지는 않겠지요?"

"글쎄요."

젊은 목사는 집요하게 계속되는 의사의 말에 더 이상 대답하는 것이 귀찮게 생각되었다. 목사는 얼른 다른 이야기로 말머리를 돌렸다.

"참, 의사 선생님께 물어 볼 말이 있소. 솔직히 대답해 주시기 바라오. 그 동안 나를 진찰하고 계신데 내 몸의 상태가 어떻소?"

"……."

의사는 목사의 몸 상태를 막 이야기하려는 찰나였다. 그 때, 어린아이의 깔깔대는 웃음소리가 이 곳에서 멀지 않은 곳에서 들려왔다. 젊은 목사는 의사와 나누던 대화를 멈추고, 창 밖으로 눈길을 돌렸다. 낯익은 소리는 그가 예상했던 대로였다.

'내 짐작대로 펄이란 아이였군.'

헤스터와 어린 딸 펄이 묘지 근처를 걸어오는 것이 똑똑히 보였다. 엄마가 만든 화려한 옷을 곱게 차려 입은 말괄량이 펄은 잠시도 가만있지 않았다. 묘지의 이곳 저곳을 마구 뛰어다니다가, 한 무덤에 이르러서는 두 손을 흔들며 춤을 추는 시늉도 했다.

펄의 엄마는 버릇없는 짓이라고 펄을 야단치는 듯했다. 그리고는 엄마에게 오라고 손짓을 하자, 눈치 빠른 펄은 날뛰던 행동을 멈추고는 무덤 근처에 핀 우엉의 열매를 줍기 시작했다. 펄은 치마 가득히 모은 우엉의 열매를 두 손으로 꼭 붙잡고, 엄마에게로 천천히 발길을 옮겼다. 아이의 손을 통해 그 열매는 하나씩 헤스터의 주홍 글씨 근처로 옮겨갔다. 펄은 그것을 즐기는 듯했고, 헤스터는 아이의 행동을 야단치지 않고 그런 일을 감당해 내려고 하는 모습이었다. 언제 다가왔는지 로저 칠링워스가 젊은 목사 곁에 서 있었다.

"저 아이는 참 특이한 것 같아요. 인간들이 지키려고 하는 여러 가지 것들이 하나도 섞이지 않은 듯하단 말이에요. 얼마 전에 이 고장의 한 관리의 무릎을 발로 차는 걸 본 적이 있어요. 발로 관리를 차고도 전혀 겁나지 않는다는 얼굴로 혀를 쏙 내밀고는 도망가 버리는 거에요. 도대체 저 아이의 머릿속은 무엇으로 가득 차 있는지 궁금하단 말이에요!"

"어린아이의 순수와 자유라고 생각되는군요."

두 사람이 자신을 바라보고 있다는 걸 느꼈는지, 장난꾸러기 펄은 가지고 있던 우엉 열매를 딤스데일 목사를 향해 냅다 던졌다.

"탁!"

펄이 던진 열매는 열려 있는 창문의 모서리를 맞고, 그 자리에 떨어졌다. 목사는 순간적으로 깜짝 놀라 얼른 고개를 돌렸다.

"하하하! 아, 재밌어."

목사의 당황하는 모습을 본 펄은 좋아라 하며 손뼉을 쳐 댔다. 그제야 상황을 알아차린 헤스터가 창문 쪽으로 시선을 보냈다.

"아, 저기 악마가 우리를 째려보고 있어. 목사님은 벌써 저 악마에게 잡힌 모양이야. 그 다음엔 우리를 잡으려고 할 거야. 어서 이 곳을 벗어나야 해. 엄마, 빨리 도망가!"

펄은 그 자리에 멍하니 서 있는 엄마의 옷을 잡아끌며, 그 곳을 벗어나려고 서둘렀다. 마치 재미있는 놀이라도 하듯이.

"저 여자는 비록 이 세상에서 부정한 여자로 낙인이 찍혀 있지만, 오히려 더 편안한 얼굴을 가진 것 같군요. 목사님이 보기에도 차라리 죄를 고백한 저 여자가, 죄를 숨기고 있는 사람들보다 낫다고 생각하지 않으세요?"

의사는 펄과 헤스터가 보이지 않게 되자, 젊은 목사의 표정을 유심히 살피면서 넌지시 물었다.

"저 여인의 얼굴이 편안해 보인다고 하지만 저는 그렇게 생각지 않아요. 저 여인에게도 겉으로는 나타낼 수 없는 무서운 고통이 있을 테니까. 하지만 구태여 그렇게 죄를 고백한 자와 숨기고 있는 자를 비교한다면, 자신이 저지른 비밀스런 죄를 밝힌 사람 쪽이 훨씬 편안하겠지요."

목사의 의견을 들은 의사는 잠시 동안 말이 없었다. 무거운 침묵이 둘 사이를 흐르는 동안, 의사는 정리하고 있던 약초 더미에 시선을 던졌다. 로저 칠링워스는 마침내 자신이 해야 할 알맞은 말을 찾은 듯이 황급히 물었다.

"목사님의 건강에 대한 제 의견을 알고 싶다고 하셨지요?"

"예, 조금 전에 제가 물었죠. 물론 병이야 자신이 느끼고 있는 부분이 더 많겠지만, 의사 선생님 입장에서 어떻게 생각하는지 알고 싶소."

"솔직하게 말씀드려서 아직까지 잘 모르겠소. 겉으로 나타난 것으로는 특별한 증상이 없지만, 목사님의 몸 상태로 봐선 위중한 게 틀림없소. 하지만 전혀 가망이 없다는 것은 아니오. 아마 정신적인 것과 관련이 있는 특이한 병인 것 같습니다만……."

"알아듣기가 어렵군요."

젊은 목사가 이해할 수 없다는 난감한 표정을 짓자, 의사는 덧붙여 말했다.

"한 가지 묻고 싶은 것이 있소. 혹시 결례가 될지도 모르겠지만, 목사님께서는 제게 몸에 나타난 모든 증상을 빠짐없이 말해 주었소?"

"도대체 무슨 말을 하는지 모르겠군요. 아픈 몸을 치료받고자 하는 환자가 병을 숨긴다는 말씀인가요?"

"짐작했던 일입니다만 역시 그렇게 생각하고 있군요. 목사님의 말대로 그렇다고 하더라도, 밖으로 드러난 증상만 가지고 병을 치료하기란 어렵소. 사실 마음에서 시작된 병이 결국 사람의 몸까지 지배하는 경우가 대부분이죠. 정신과 육체는 긴밀하게 연관이 되어 있어 한 가지로 볼 수 있죠. 다시 말하면, 당신의 병은 정신적인 것과 관련이 깊다고 할 수 있소."

딤스데일 목사는 마치 자신의 마음을 들키기라도 한 것처럼 화를 벌컥 냈다.

"앞으로 당신에게 더 이상 내 몸을 맡길 필요가 없는 것 같군요. 내

병이 육체의 병이 아니라고 판명났으니 말이오."

의사 역시 의자에서 벌떡 일어나 목사의 분노에 기죽지 않고, 자신이 하려던 말을 주저하지 않고 말했다.

"환자 자신의 마음속 고뇌까지 털어놓지 않고, 어떻게 병이 낫기를 바랄 수가 있소? 가슴에 손을 얹고 생각해 보시오. 지금이라도 늦지 않았으니 당신이 진정으로 고민하는 것을 내게 말하시오. 그렇지 않으면 가망이 없을 것이오."

젊은 목사는 이제까지 보아 온 적이 없는, 그답지 않은 흥분된 말투로 의사를 바라보며 소리를 버럭 질렀다.

"필요 없소! 아무에게도 내 고민을 말하지 않을 것이오. 이 세상 누구에게도 말이오. 내 병이 마음에서 비롯된 것이라면, 나의 하느님에게 이 일을 모두 맡길 것이오. 그분만이 나를 다루어 주실 테니까! 나는 죽음 따윈 두렵지 않소. 그것이 하느님이 내게 내리신 현명한 판단이라면 거부하지 않고 따르겠소. 그런데 당신은 도대체 누구죠? 왜 하느님과 나 사이에 들어오려고 발버둥치는 거죠?"

목사는 더 이상 이 곳에 있기가 괴로웠는지, 마지막 말을 마치고는 의사의 방을 뛰쳐나왔다. 혼자 방 안에 남아 있던 의사는, 씁쓰레한 미소를 띠며 혼잣말을 했다.

"짐작했던 일이 서서히 나타나는군. 비밀이 밝혀질 날이 그리 멀지 않은 것 같군. 젊은 목사와 다시 화해하는 일은 간단해. 저 사람의 성품으로 봐선 지금 일을 금세 후회하고 말 테니까. 오늘 본 목사의, 이성을 잃은 모습은 상상 밖의 큰 성과였어. 항상 이성을 잃지 않는다고 생각했었는데, 저 사람에게도 저런 면이 있었다니 놀라운 일이야. 그렇다면 오래 전에 한 여인을 향해 열렬한 애정을 불태웠을 수도 있었겠군."

그렇게 방에서 뛰쳐나간 목사는, 금세 자신의 옳지 못한 행동을 후회했다.

'무슨 짓을 하고 방을 뛰쳐나온 걸까? 내 마음이 울적한 탓에 다른 사람에게 상처를 주는 말을 한 게 틀림없어. 의사는 단지, 내 몸을 걱정하는 마음에 충고한 것인데 말이야.'

시간이 얼마 흐르지 않아서 목사는 의사를 찾아가 용서를 구했다.

"본의 아니게 격한 행동을 하게 되었소. 부디 용서하시고 앞으로도 미약한 내 몸을 계속 돌봐 주시기 부탁드립니다."

"내게도 잘못이 있었소. 환자의 상태를 악화시키는 말은 되도록 피해야 했는데, 좋은 뜻으로 생각하고 너그럽게 이해하시오."

결국 두 사람은 예전의 관계로 되돌아갈 수 있었다. 그로부터 며칠 후, 딤스데일 목사는 오랜만에 잠에 취해 있었다. 의사는 목사 방을 방문하여 문을 두드리려는 순간, 살짝 열린 문틈 사이로 목사가 곤하게 자고 있는 걸 엿보았다.

'흠, 웬일일까? 대낮인데도 내가 들어온 줄도 모르고 저렇게 깊이 잠이 들다니.'

목사가 잠들어 있는 책상 앞으로 다가간 그는, 손을 들어 목사의 가슴에 손을 대어 보았다. 호기심이 발동한 그는, 다시 목사의 옷을 젖혀 가슴을 들여다보았다. 환자라고는 하지만, 의사인 자신에게 목사는 한 번도 가슴을 보여 준 적이 없었다. 의사는 잠시 넋이 나간 듯 그대로 있다가, 목사가 몸을 뒤척이는 소리에 놀라 살며시 몸을 일으켜 그 곳을 빠져 나왔다.

'음, 내 짐작대로야.'

밖으로 나온 그의 표정은 한 마디로 설명할 수 없을 정도였다. 가슴이 벅찬 듯이 한숨을 몰아쉬다가, 이내 보지 못할 것을 본 사람처럼 두

려움에 몸을 떨었다. 그러나 이내 천사의 비밀을 알아낸 악마의 모습처럼, 기쁨에 겨워 팔을 휘두르고 발을 동동 굴렀다. 그가 본 것이 무엇인지 알 수는 없었지만 굉장한 것임에 틀림없는 듯했다.

이런 일이 있었던 줄을 모르는 목사는 의사와 전과 같은 관계를 유지했다. 의사 역시 겉으로는 아는 체를 하지 않았지만 마음속으로는 딴생각을 가지고 있었다.

'후후, 이제 저 목사의 목숨과 영혼은 내게 달려 있어. 목사가 품고 있는 죄에 대한 생각, 후회 같은 것들을 내 앞에서 눈물 흘리며 말하도록 하겠어.'

그는 한 사람의 속마음까지 파고들어가 그를 자기 마음대로 움직이고, 그의 영혼을 뒤흔들어 고통 속으로 몰아넣을 작정이었다.

의사는 마치 마법사가 마술을 부리는 것처럼 그럴 마음이 생기면 아무것도 모르는 목사를 향해 최면을 걸고는 그를 두려움에 떨게 만들었다. 목사 역시 무언지 모를 강력한 힘이 점점 자신의 목을 죄어들어 오고 있다는 것을 어렴풋이 느끼고 있었다.

'아, 요즘 들어 더 고통스러워. 내 곁을 맴도는 저 의사의 눈초리가 싫어. 하지만 아무 이유 없이 저 사람을 미워할 수는 없어.'

고통 속에 하루하루를 보내고 있었지만, 딤스데일 목사의 명성은 나날이 높아만 갔다. 점점 쇠약해져 가는 목사의 육체와 고뇌하는 모습은, 사람들로 하여금 그전보다 더 믿음이 가도록 만들었다. 여러 목사들 가운데서도 그에 대한 존경심은 실로 대단했다.

"딤스데일 목사님의 설교를 듣고 있으면 가슴이 저절로 뜨거워지는 것 같아. 마치 하느님이 우리를 불쌍히 여기는 것처럼, 어려운 우리들의 마음을 잘 알고 있어. 말 한 마디 한 마디가 온몸을 불사르며 토해내는 보석과도 같아!"

"맞아! 그는 사람의 모습을 하고 있지만, 우리들에게는 하느님의 목소리를 들려주고 있어."

목사 자신의 괴로운 고민은 사람들에게 그들의 고통을 함께 나눌 수 있는 사람으로 비추어지는 데 훌륭한 역할을 하고 있었다.

교회의 신자들은 젊고 늙음에 상관없이, 그를 성스러운 존재로 여기는 일에 주저하지 않고 나섰다. 아리따운 아가씨들은 목사의 정열적인 설교에 감동되어, 주변의 시선에 아랑곳하지 않고 눈물을 흘리곤 했다. 나이 든 신자들은 자식들에게 당부의 말을 했다.

"나 죽거든 딤스데일 목사님 곁에 무덤을 만들어라. 저 세상에 가서도 훌륭하신 목사님 곁에 있고 싶구나."

목사 자신도 자신의 목숨이 얼마 남지 않았다는 것을 스스로 느끼고 있었다. 그는 사람들이 자신에게 쏟고 있는 대단한 존경심이 거북스러웠다.

'저 사람들에게 고개를 들 수가 없을 만큼 창피하구나. 나의 무얼 보고 내 말 한 마디 한 마디에 저토록 열광한단 말인가. 내 비밀을 알고 난 후에는 저 사람들의 표정이 어떻게 변할까? 아마도 나를 죽이려고 달려들진 않을까?'

그런 생각이 머릿속을 가득 메울 때면, 그는 하마터면 큰 소리로 외칠 뻔한 적이 한두 번이 아니었다.

'여러분, 당신들이 보고 있는 나의 모습은 거짓이오. 하느님의 대변인이라고 알고 있는 나는, 큰 죄를 짓고 있는 죄인이오. 당신들의 아이들에게 세례를 베풀고 축복하며, 죽은 자를 위한 기도를 올리고 있는 나의 부정한 손을 믿어서는 안 되오. 나를 돌로 치고 발로 차도 아무런 할말이 없는 죄 많은 사람이란 말이오!'

하지만 번번이 생각한 대로 말하지 못하고, 단상을 그대로 걸어 내려

오고 말았다. 그런 생각이 하루에도 몇 번씩 되풀이되던 어느 날, 그는 더 이상 참지 못하고 사람들에게 설교를 했다. 자신은 비열한 인간 중에서도 구제받을 수 없는 나쁜 사람이고, 여러분을 이 때까지 속였으니 하느님의 심판을 받아 불에 타고 말 것이라고 저주스런 말을 서슴지 않았다.

젊은 목사의 설교를 듣고 있던 사람들은 잠시 찬물을 끼얹은 듯 조용했다. 그는 곧 사람들이 자신을 끌어내어 벌을 줄 것이라고 생각했다.

"자네는 방금 들은 목사님의 설교에 대해 어떻게 생각하나?"

"처음에는 목사님 자신을 죄 많은 사악한 인간이라고 했을 때 깜짝 놀랐으나, 곧 그것이 무슨 의미인 줄 깨달았어."

"그래? 저 목사님께서 우리에게 던져 주려는 의미가 무언가?"

"우리가 존경하는 목사님께서 말씀하신 것은 바로, 보이지 않는 마음의 죄를 가리키는 거야. 즉, 직접 물건을 훔치지는 않았더라도, 물건을 탐내는 마음 또한 죄를 짓는 것이라는 뜻이야. 저렇게 순수하신 목사님이 큰 죄인이라면, 우리는 그 동안 얼마나 많은 죄를 짓고 살았단 말인가?"

"음, 자네 말이 무슨 뜻인지 알겠군. 앞으로 더욱더 성실한 생활을 하도록 노력해야겠네."

사람들은 잠시 서로를 바라보며 수군댔다. 딤스데일 목사는 사람들의 심판을 받기 위해 조용히 감았던 눈을 떴다. 그러자 갑자기 그 곳에 모인 사람들이 우레와 같은 박수를 치며, 자신을 애정어린 눈으로 바라보았다.

'아, 이런 것을 바랐던 게 아닌데. 어리석은 사람들은 내 말을 그대로 듣지 않고 좋은 쪽으로 나름대로 해석해 버렸군. 난 점점 더 큰 죄인이 되어 가고 있어.'

목사는 사람들을 속이고 있다는 생각으로 괴로워 견딜 수가 없었다. 사람들의 엄청난 비난을 받아들이기에는 아직 몸과 마음이 허약했다. 결국 그가 생각해 낸 것은 사람들 앞에 자신의 죄를 드러낼 용기가 있을 때까지, 자신에게 육체적인 고통을 주자는 것이었다. 그는 자신의 방에 있는 비밀 상자에 회초리 한 개를 보관하고 있었다.

"에잇!"

회초리를 든 그의 손이 사정없이 자신의 어깨를 내리쳤다. 그는 피멍이 들 때까지 매질을 멈추지 않았다. 그가 택한 또 다른 벌은 금식이었다. 음식을 먹지 않은 것은 정신을 맑게 하자는 본래의 뜻보다는, 철저히 자신에게 육체적인 괴로움을 주자는 것이었다. 때로는 밤을 새우는 일도 있었다. 그 앞에다 거울을 가져다 놓고, 자신의 추악한 모습을 들여다보며 경멸했다.

'아, 매질과 금식, 잠을 자지 못하는 괴로움은 아무리 해도 내 몸을 깨끗이 해 주지 못하는구나.'

이런 날들이 거듭될수록 그의 눈앞에는 헛것이 보이곤 했다. 그의 앞에 놓인 거울 속에서 악마의 손길이 어서 오라고 손짓하기도 했고, 때론 천사의 얼굴이 나타나기도 했다. 어떤 날은 화려한 옷차림을 한 펄과 헤스터가 그 앞에 스치듯 지나갔다.

"헤스터, 부탁이야. 이 고통에서 벗어날 방법을 가르쳐 줘!"

그녀는 자신의 주홍 글씨를 손으로 가리키고 난 뒤, 다음으로 목사의 가슴을 무표정한 눈길로 바라다보았다. 목사는 그런 환상들을 보며 정신을 잃어버리곤 했다. 하지만 어떻게 보면 이런 고통들이 목사가 죽지 않고 살아가는 방법일 수도 있었다. 그의 얼굴에 나타난 죄의 고뇌가 없어지고 밝게 웃는 날이 오면, 딤스데일 목사는 아마 이 세상에 존재하지 않을지도 몰랐다.

처형대 위의 세 사람

무엇이 목사를 그 곳으로 안내했는지 자신도 알 수 없었다. 모두가 잠든 밤에 이끌리듯이 그가 찾아간 곳은, 헤스터가 사람들로부터 구경거리가 되었던 광장의 처형대였다. 그 곳의 모습은 변함이 없었으나, 7년이라는 세월이 말해 주듯이 단 위의 색깔이 많이 바래져 있었다. 딤스데일 목사는 잠시 그 앞에 서 있다가, 천천히 처형대로 향하는 계단을 하나씩 밟아 올라갔다.

'아, 왜 이제야 여기를 찾았을까? 그 동안 세월이 참 많이 흘렀구나. 그런데 난 아직도 사람들의 머릿속에서 사라져, 기억에 남아 있지 않을지도 모르는 죄로 날마다 이렇게 방황하고 있다니.'

이 때는 5월 초였고, 하늘에는 검은 먹구름이 잔뜩 끼어 있어 칠흑같이 어두운 밤이었다. 한밤중에 이 곳을 기웃거릴 사람은 없을 것이고, 이 근처를 지나는 사람이 있다고 하더라도, 바로 앞의 물건도 구별하기가 어려울 정도로 깜깜했다. 해가 떠오를 때까지는 그가 처형대 위에 서 있다고 하더라도 아무에게도 들킬 염려가 없었다. 걱정되는 일이란 다음 날 그의 설교를 듣고자 하는 교회 신도들에게, 감기가 걸려 쉰 목소리를 들려주지나 않을까 하는 것이었다.

목사가 이 곳에 온 까닭은 무엇일까? 자신의 죄를 밝힐 수 있는 대낮을 피해 모두가 잠든 밤에 온 것은, 역시 진실을 가리기 위한 비겁한 몸짓에 지나지 않는 것은 아닐까? 깊은 바다에 잠자고 있는 양심을 깨우려고 하면, 항상 비겁이란 놈이 그 앞을 가로막고 나서는 것이었다.

'왜 이렇게 용기가 없는 것일까? 헤스터는 당당히 이 곳에 서서 사람들로부터 죄의 대가를 받았다. 난 왜 그렇게 하지 못한단 말인가?'

목사라는 신분이 그를 더욱더 죄에서 헤어나지 못하게 한다고 그는 생각했다. 하지만 사람이란 아무도 보지 않는다고 느낄 때 가장 큰 용기가 솟아나는지도 몰랐다. 그는 어떤 마음의 결정을 내리고 이 곳을 찾은 것은 아니었지만, 갑자기 끓어오르는 새로운 어떤 기운을 느꼈다. 그것은 외부에서 보내 준 힘인지, 자신의 내면에서 솟아나온 것인지 자신도 알 수 없었다.

그는 어둡고 조용한 밤하늘을 향해 이제까지 마음속에 쌓아 두었던 찌꺼기를 쏟아 냈다. 누가 듣든지 상관하지 않고 큰 소리를 마구 질러 댔다. 그 소리는 마치 울부짖는 짐승의 소리 같기도 하고, 술 취한 사람의 알 수 없는 주정 같기도 했다. 목사가 내뱉은 소리는 어딘가에 부딪혀 다시 되돌아왔다.

조용했던 거리에 마치 종이에 물이 스며들듯이, 그 소리는 집집마다 잘 전달되었다. 한편으론 시원했지만 덜컥 겁이 났다.

'이제 모든 게 다 끝났다!'

그의 온몸에 차가운 바람이 휘몰아쳤다.

"이 곳에서 기다리고 있으면 사람들이 곧 몰려올 것이다. 그리고는 그 동안 자신들을 속인 나를 죽이려고 하겠지."

하지만 꼼짝 않고 처형대 위에 서 있는 목사의 주위에서 사람의 모습이라곤 찾아볼 수가 없었다.

'웬일일까? 왜 아무도 나타나지 않는 걸까?'

초조하게 기다리는 목사는 시간이 흐르자 주변을 둘러보았다. 사실 목사가 내지른 소리는 그가 생각했던 것처럼, 이 마을 사람들이 모두 깰 정도로 큰 소리는 아니었다.

괴로움에 젖은 사람 자신의 마음속에 그렇게 큰 소리로 울렸을 뿐이었다. 게다가 그 당시의 사람들은 깊은 밤에 마녀들이 내지르는 괴상한 소리쯤으로 생각했을 것이다. 아니, 사람들에게 전혀 소리가 들리지 않았던 것은 아니었다. 벨링엄 총독의 저택에서 누군가가 창문으로 목을 길게 빼고 있는 모습이 보였다. 사방이 몹시 캄캄했지만 목사는 그가 누구인지 짐작할 수 있었다.

'흠, 확실히 보이지는 않지만, 저 사람의 손에 들고 있는 불빛으로 볼 때 총독임에 틀림없어.'

총독은 잠옷 차림에 가운을 걸친 모습으로, 밤하늘에 울려 퍼진 소리를 확인하기 위해 어설픈 동작으로 머리를 이리저리 돌렸다. 목사의 눈에는 또 다른 사람이 들어왔다. 그는 다름 아닌 총독의 누이동생이었다. 히빈스라고 불리는 이 여인은 역시 사방을 두리번거리다가 하늘로 고개를 치켜들었다.

히빈스 부인은 분명 그 소리는 사람이 지른 소리가 아니라, 숲 속에 사는 악마가 사람들을 놀라게 하려는 소리라고 확신하고 있었다. 총독과 눈이 마주친 그녀는 무슨 죄를 짓기라도 한 사람처럼, 얼른 불을 끄고는 창문을 닫아 버렸다. 곧 총독 저택의 불빛이 모두 꺼지고, 벨링엄 총독의 모습도 보이지 않았다. 그제야 젊은 목사는 안도의 한숨을 내쉬었다.

'이게 무슨 꼴이란 말인가? 사람들에게 소리 질러 내 죄를 알리려고 해 놓고는 이제 와서 그것이 발각될까 봐 조바심을 내는 꼴이라니…….'

그러나 그것도 잠시였다. 곧 멀리서 불빛이 바람에 이리저리 흔들리며 그가 있는 곳으로 향해 오고 있었다. 빛이 점점 다가오자 그가 있는 주변의 모습이 하나 둘씩 비춰지고 있었다. 광장의 기둥과 공터, 마을 회관 등이 불빛에 드러났다.

'아, 이제 내 운명도 여기서 끝나려나 보다. 누군가가 필시 잠들지 않고 있다가, 내가 지른 소리에 궁금증을 참지 못하고 나오는 거야.'

발소리가 점점 가까이 오자, 그의 가슴은 마구 방망이질을 해댔다. 등불의 주인공이 누구였는지 안 순간 그는 한숨을 쉬었다.

'아, 윌슨 목사님이로구나. 어디를 다녀오는 모양인데. 흠, 며칠 전부터 위독하다고 이야기했던 윈슬로프 지사가 세상을 떠났구나.'

딤스데일 목사가 추측한 대로 윌슨, 목사는 윈슬로프 지사의 마지막 모습을 곁에서 지켜 주고 막 돌아가는 중이었다.

'윌슨 목사님의 몸에서 밝은 빛이 쏟아져 나오는 것처럼 느껴져. 인간의 죽음을 숭고한 길로 이끌어 주고 나오는 길이라서 그런지도 모르지.'

젊은 목사는 그를 큰 소리로 불러 자신의 죄를 모두 털어놓고 싶은 충동을 느꼈다.

"여기 윌슨 목사님을 늘 존경하고 있는 죄 많은 딤스데일 목사가 있습니다. 제 이야기를 듣고 싶지 않으세요?"

윌슨 목사가 등불을 들고 그의 곁을 지나쳐 갈 때 그는 이렇게 소리쳤다. 하지만 온화한 표정의 윌슨 목사는, 혹시나 흙탕물을 밟지나 않을까 땅바닥을 조심스럽게 내려다보며 가던 길을 멈추지 않았다. 젊은 목사가 소리쳤다고 생각한 것은 자신의 상상일 뿐이었다.

게다가 윌슨 목사는 처형대 위에 설마 사람이 있으리라고는 꿈에도 생각지 않았기 때문에 그 곳을 바라다볼 이유가 없었다. 또 한 번의 위기의 순간을 넘긴 딤스데일 목사의 몸을 밤 공기가 싸늘하게 감싸고 있었다.

'몸이 점점 싸늘한 공기에 굳어지는 것 같군. 이러다간 걸음을 옮길 수 없을 정도가 되겠지. 결국 날이 밝으면 사람들이 나를 발견할 테고 말이야.'

그는 만약에 그런 일이 일어난다면 매우 재미있을 거라고 엉뚱한 상상을 했다.

'먼동이 트면 사람들이 하나 둘씩 잠자리에서 일어나, 일을 나가기 위해 부지런히 길을 나서겠지. 그들 중에 가장 먼저 처형대 위에 쓰러진 나를 발견한 사람은, 기겁을 하고 서둘러 여러 사람들에게 알릴 거야. 곧 이 고장의 관리와 총독이 허겁지겁 달려오고, 대부분의 사람들은 옷을 갖추어 입을 사이도 없이 이 곳에 몰려들 테지. 잠을 거의 자지 못한 윌슨 목사를 비롯해 여러 목사와 장로들도 마찬가지로 나를 보러 올 거야. 이 세상의 모든 살아 있는 사람들과 동물들이, 비참하게 처형대 위에 자빠져 있는 나를 비웃어 주러 달려올 거란 말이야.'

딤스데일 목사는 혼자만의 망상 속에 빠져, 미쳐 가는 자신을 깨닫고 갑자기 크게 소리쳐 웃었다.

"하하하! 하하하!"

기쁨의 웃음도 아니고 슬픈 마음에서 나온 헛웃음 소리도 아니었다. 그건 인간의 감정을 떠난 이 세상의 소리가 아니었다.

그 때였다. 근처 어디선가 어린아이의 깔깔깔 웃어 대는 명쾌한 웃음소리가 그의 귓전에 들려왔다. 이 소리는 어디선가 들은 적이 있었다. 목사는 얼른 고개를 들어 주변을 두리번거리며 목소리의 주인공을 찾았다.

"거기 있는 게 펄이니?"

그는 다시 펄과 함께 있을 헤스터를 소리 내어 불렀다.

"혹시 헤스터가 아니오? 내 목소리가 들리면 대답해 주시오."

"어머, 내 이름을 알고 있는 당신은 누구시죠? 이 어두운 곳에서 도대체 무얼 하고 계신 건가요?"

목소리와 함께 잠시 후 헤스터와 펄이 그 모습을 드러냈다.

"아니, 딤스데일 목사님이 아닌가요?"

"헤스터, 당신은 이 어두운 밤에 이 근처에 웬일이지?"

"아마 당신도 아실 거예요. 위독하시던 윈슬로프 지사님께서 오늘 밤에 돌아가셨어요. 저는 그분의 수의를 만들기 위해 다녀오는 길이에요."

헤스터는 처형대 위에 싸늘한 몸을 의지하고 서 있는 목사를, 애정어린 눈길로 바라다보았다.

"펄, 엄마와 함께 이리 올라오너라. 네가 기억할지는 모르겠지만, 언젠가 너와 엄마는 이 곳에 서 있던 적이 있었지. 당연히 서야 할 한 사람이 빠진 채로 말이야. 이제 우리 세 사람이 이 곳에 함께 서 보지 않겠니?"

헤스터는 펄과 함께 목사가 시키는 대로 처형대 위로 올라갔다. 펄이 가까이 다가오자 목사는 펄의 여린 손을 꼭 쥐었다. 그러자 목사의 마음속에 신기한 일이 일어났다. 지금까지 얼음장같이 차가웠던 그의 몸과 마음에 따뜻한 햇볕과도 같은 온기가 감돌았다.

'아, 이것이 내가 바랐던 일이 아닐까? 그 동안 이들을 버려 두고 나의 괴로움에만 너무 집착했구나.'

목사는 이대로 시간이 멈춰 버렸으면 하고 생각했다. 다시 저 인간들 세상으로 들어간다는 것은 악마의 소굴로 들어가는 것과도 같았다.

"목사님! 우리 약속해요."

얌전히 목사의 손을 잡고 있던 펄이 고요함을 깨고 한 가지 제안을 했다.

"내일 밝은 날에도 이렇게 서 있어요."

딤스데일 목사는 펄의 당돌함에 깜짝 놀랐다. 평소의 펄답게 어른을 놀라게 하는 말을 하고도 천연덕스런 얼굴이었다.

"펄, 아직은 안 된다."

목사의 대답하는 말소리는 떨렸다. 여러 사람들 앞에 서서 자신의 죄를 고백한다는 일이 쉽지 않음을 다시 한 번 실감했다. 세 사람이 이 곳 처형대에 서 있다는 자체가, 어느덧 두려움이 되어 그의 마음을 흔들어 댔다.

"펄, 조금 더 기다려 주겠니? 머지않은 날에 다시 이 곳에 함께 서기로 약속할게."

목사의 대답이 마음에 들지 않았는지, 아니면 이 놀이가 이제 재미없는지 목사에게 꼭 잡힌 손을 빼내려고 했다.

"조금만 더 이렇게 있어 주지 않겠니?"

"싫어! 목사님도 내 말을 들어주지 않잖아."

"아니야. 내일 당장은 네 말을 들어줄 수 없지만, 때가 되면 반드시 그 약속을 지킨다고 하느님께 맹세할게."

"믿을 수 없어. 그 날이 도대체 언제라는 거야?"

펄은 어린애답지 않게 끈질기게 목사의 마음을 확인하려는 듯했다.

"흠, 그 날은 하느님께서 내리실 최후의 날이야. 그 때가 되면 당연히 그렇게 해야 하는 거야. 하지만 그전까지는 오늘 있었던 일을 누구에게도 말해서는 안 돼."

목사의 진지한 표정을 본 펄은 이내 웃음을 터뜨리고 말았다. 장난으로 한 말을, 그가 고민하는 것이 우스웠던 모양이었다. 그들이 이런 이야기를 나누는 사이에, 한 줄기 빛이 그들이 있는 처형대 위에 비치었다. 사람들이 말하는 유성이 땅으로 떨어지는 광경이었다. 빛은 마을 전체를 환하게 밝혀 주었지만, 그들은 순간적으로 두려움을 느꼈다. 헤스터의 주홍 글씨가 빛을 내었고, 목사는 자신의 가슴에 손을 얹었다.

"저기……."

펄은 목사에게 잡힌 손을 빼내 어둠 속의 한 곳을 가리켰다. 딤스데일 목사는 펄의 자그마한 소리를 듣지 못하고 하늘에 눈을 고정시켰다. 그 당시에는, 예상치 않은 일들은 모두 하늘의 변화에 따라 움직인다고 대부분의 사람들은 믿었다. 목사는 마치 하늘의 조화를 읽어 내려는 듯 꼼짝도 하지 않았다.

'이건 어쩌면 하늘이 내게 내려 주려는 말씀인지도 몰라. 오늘밤에 벌이고 있는 이러한 행동들을 벌주려고 하는 걸까?'

모든 일이 자신을 중심으로 움직인다는 망상에 빠진 목사는, 하늘에서 비추어진 빛 속에 시뻘건 무엇인가를 보았다.

'저 모양은 주홍 글씨가 틀림없어.'

무언지 모를 괴상한 모양이 언뜻 비추어진 것은 사실이었지만, 다른 사람들 눈에도 목사가 본 것과 똑같은 것이라고는 할 수 없었다.

그는 자신이 주홍 글씨라고 생각한 곳을 따라 눈을 움직였다. 빛이 한 곳에 머물렀다고 생각한 그 자리에 눈에 익은 사람이 서 있었다.

'저 사람은…….'

로저 칠링워스가 틀림없었다. 소스라치게 놀란 목사는 그제야 펄이 가리키고 있는 곳이 의사를 향한 것임을 눈치챘다. 의사는 마치 그들의 일을 모두 알고 있는 듯했다. 그렇지 않다면 목사가 혼자 이 곳을 찾았을 때부터 그 곳에 있었는지도 모를 일이었다.

'원망이 서린 눈빛이군. 예전에 내가 보지 못했던 얼굴이야. 아니면 그 동안 속마음을 숨겨 오느라 그랬는지도 모르지.'

의사는 원망의 빛과 함께 자신의 목표를 거의 달성한 사람처럼, 만족스러움을 몸 구석구석에 나타냈다. 순간 오싹한 느낌이 목사의 등줄기를 타고 흘러내렸다.

"헤스터, 당신은 알고 있을 테지?"

"무슨 말씀을 하시는 거죠?"

"저기 우리를 뚫어져라 바라보고 있는 사나이의 정체를 말이오. 늘 내 곁을 빙빙 돌면서 무언지 알수 없는 힘으로 나를 죄어들고 있어. 처음엔 그 정체가 무엇인지 몰랐지만 지금 막 깨달았어. 바로 저 사람이 틀림없어!"

목사는 혼잣말을 하듯 중얼거렸다. 헤스터는 목사의 모습이 측은하여 대답을 하려다가 그만 입을 다물고 말았다.

"어서 말을 해 봐! 내 영혼까지 감시하려고 드는 저 사람이 도대체 누구인지 말이야. 저 사람의 눈은 정말 나를 미치게 만들어."

그 때 펄이 목사의 옷을 잡아당겼다.

"난 저 사람이 누군지 알고 있어요. 알고 싶으세요?"

"정말이야? 그럼 어서 얘기해 보렴."

몸을 낮추어 펄의 입에 귀를 가져다 댄 목사는 잔뜩 긴장하고 있었다. 하지만 펄이 무슨 이야기를 하는지 알아들을 수가 없었다. 그 소리는 종달새가 지저귀는 소리처럼 들리기도 하고, 어린아이가 막 말을 배우기 시작할 때 내는 옹알이 같기도 했다. 목사는 그제야 펄이 장난을 치려는 것임을 알고 몸을 일으켜 세웠다.

"펄, 어른을 놀리면 나쁜 아이야!"

"치, 목사님도 내 말을 들어주지 않으면서……."

펄은 자신을 다그치는 목사에게 작은 소리로 불평했다. 두 사람이 서로 이야기하는 모양을 지켜보던 의사가 마침내 그들 곁으로 다가왔다.

"혹시나 했는데 딤스데일 목사였군요. 우리 의사들이란 항상 환자들의 모습을 지켜봐야 하는 게 일이니까. 이 곳에 오래 있으면 몸에 해로워요. 자, 어서 나와 함께 집으로 돌아갑시다."

"집으로 돌아가기 전에 한 가지 물어 볼 말이 있소."

"말씀하시오."

"어떻게 내가 여기 있다는 걸 알 수 있었소?"

목사는 의사가 어떻게 대답할까 몹시 궁금했다.

"그게 몹시 궁금한 모양이로군요. 사실을 말하자면 이 곳에서 당신을 본 것은 우연이오. 지금까지 난 윈슬로프 지사님 댁에 있었소. 의사로서의 할 일을 위해서 말이오. 그리고 집으로 돌아가는 길에 하늘에서 떨어지는 유성을 보게 된 것이오. 그 빛이 지금 당신들이 서 있는 이 곳을 비추고 있었고, 난 우연히 이 곳을 보게 되었소."

그제야 목사는 안도의 한숨을 쉬었다.

"목사님의 몸이 몹시 힘들어 보여요. 어서 집으로 가서 쉬어야 할 것 같소."

"당신 말이 맞소. 난 지금 몹시 지쳐 있어요. 더 이상 이 곳에 서 있을 힘도, 대화를 나눌 기력도 없소."

목사는 두 모녀를 그 곳에 남겨 둔 채, 의사의 부축을 받아 그 곳을 떠났다. 날이 밝자, 목사는 몸이 좋지 않았지만 그를 기다리고 있는 교회 신자들을 위해 교회로 발길을 돌렸다.

"오늘 딤스데일 목사님이 하신 설교는 정말 감명 깊었어!"

"맞아, 아마 이제까지 내가 들었던 목사님의 설교 중에서 가장 힘이 넘치고 내용이 좋았던 것 같아."

설교를 들은 대부분의 사람들은 그 후로도 이 날의 설교 내용을 되새기며 자신들의 삶의 바탕으로 삼고자 했다. 딤스데일 목사도 이번 설교를 만족스럽게 여기며 교회의 문을 나서려는데, 누군가 뒤에서 부르는 소리가 들렸다.

"목사님! 목사님!"

뒤를 돌아다보니 교회에서 잔일을 거드는 노인이 서 있었다.

"나를 불렀소?"
"예, 전해드릴 물건이 있습니다. 여기……."
노인이 내민 것은 다름 아닌 목사의 장갑 한 짝이었다.
"아니, 이걸 어떻게 당신이 가지고 있소?"
"오늘 아침 광장의 처형대를 청소하던 하인 하나가 내게 가져온 것이오. 장갑을 살펴보니 목사님의 이름 첫 글자가 새겨져 있어서 이렇게 전해드리는 겁니다."
"아무튼 고맙소."
딤스데일 목사는 가볍게 인사를 하고 장갑을 받아들었으나, 어젯밤 일을 누군가에게 들킨 것 같아 마음속이 편치 않았다. 장갑을 건네 준 노인의 표정은 목사를 향해 이렇게 묻고 있는 듯했다.
'목사님, 그 장갑이 왜 거기에 떨어져 있었을까요?'
그러나 노인은 목사에게 의심의 말을 함부로 할 처지가 못 되었다. 하지만 이 기회에 목사와 다른 이야기를 나누고 싶었는지, 다른 데로 말머리를 돌렸다.
"혹시 어젯밤에 일어난 일에 대해 들었는지 모르겠군요?"
"무슨……."
"아 글쎄, 어제 하늘에서 떨어진 유성이 빛을 내면서 웬 모양을 만들었다지 뭐예요. 알파벳으로 A라고들 하던데, 사람들은 모두들 천사를 뜻하는 머리글자라며, 앞으로 우리 마을에 좋은 일이 생길 거라고 야단들이에요. 목사님도 그렇게 생각하시죠?"
"그랬군요. 그럼 바빠서 전 그만 가 보겠습니다."
목사는 서둘러 노인에게 인사를 하고 교회를 빠져 나왔다.

헤스터의 결심

우연히 딤스데일 목사와 만나서 처형대 위에 섰던 헤스터는 그 후로 고민에 싸였다.

'알고 있었던 것보다 목사님의 건강이 상당히 나빠 보이는 것 같아. 그건 물론 마음에서 비롯된 병이라 쉽지 않다는 건 알았지만.'

그녀는 목사가 자신에게 로저 칠링워스의 정체에 대해 물었던 일을 기억해 냈다.

'목사님도 막연히 로저 칠링워스에 대해 불안감을 느끼고 있어. 아무리 그와의 약속이라고 할지라도, 목사님이 저렇게 변한 데에는 내 책임도 없다고 할 수 없어. 모른 체 저대로 놔둔다면, 결국 딤스데일 목사는 목숨을 잃게 될지도 몰라.'

헤스터는 그 동안 잊고 살았던 일이 새삼 기억 속에 떠오르면서, 어떤 판단을 내려야 좋을지 몰랐다. 그녀의 생활은 감옥문을 나와 처음 오두막집 생활을 시작할 때보다 많이 변해 있었다.

벌써 펄의 나이가 일곱 살이 되었을 정도로 오랜 시간이 흘렀다. 그 동안 헤스터를 바라보는 마을 사람들의 시선도 변해 있었다. 그녀의 가슴에는 아직도 주홍 글씨의 표지가 떨어지지 않았지만, 그 의미는 벌써 많이 달라졌다. 그녀의 봉사 정신으로 인해 사람들은 드러내 놓고 칭찬하지는 않더라도, 그녀를 미워하거나 비웃는 일은 없었다. 오히려 어떤 존경심 같은 것을 나타냈다.

그녀는 사회가 내린 벌에 순종적으로 받아들이고, 생활하면서 사람들과 다투거나 미워하지 않았다. 오히려 그들에게 당하는 일이 있더라도 불평하지 않았다. 오랜 세월이 지나는 동안 그녀는 딸만을 바라보며 순결한 생활을 해 왔을 뿐만 아니라, 돈에 대해서도 아무런 욕심을 가지지 않으므로, 사람들은 그녀를 더 이상 미워할 수가 없었다. 사람들은 그녀를 이미 용서했다.

"저 여자는 어린 딸과 살아가는 데 필요한 최소한의 것만 바라고 있어. 마음만 먹으면 큰돈을 모을 수도 있는데, 약간의 식량을 빼고는 모조리 생활이 어려운 사람들에게 나누어 준단 말이야."

"그래, 남을 도울 때도 우리가 알고 있는 높은 관리들처럼 허울 좋은 말을 늘어놓는 일이라곤 없어."

사람들 눈에 띄지 않는 헤스터의 생활이 여러 사람들에게는 대단한 일로 받아들여지면서, 그녀가 가슴에 달고 있는 주홍 글씨는 이제 부정의 표지가 아니라 어려운 사람들을 구원해 주는 상징이 되어 버렸다. 전염병이 마을에 퍼졌을 때도 그녀는 자신의 몸을 사리지 않고, 아픈 사람들을 돌보아 주었으며, 외로운 사람들의 위로가 될 만한 일이라면 서슴지 않았다.

어느덧 사람들은 부정한 표지의 머릿글자인 A를 '유능한'이란 뜻을 가진 Able의 첫 글자로 해석했다. 그녀가 찾아다닌 집은 웃음이 넘쳐나는 밝은 곳이 아니었다. 어둡고 형편이 어려운 곳을 다니다가, 그 집에 행복이 찾아오면 그것으로 흡족해했다. 대가를 바라거나 고맙다는 인사를 받으려고 하지 않았다. 혹시 길에서라도 마주쳐서 달려가 감사의 말을 하려고 하면, 그녀는 뒤도 돌아보지 않고 사라져 버리곤 했다. 모르는 사람들은 거만하다고 할지 모르겠지만, 그녀를 아는 사람들은 겸손으로 생각했다.

일반 사람들뿐만이 아니라 높은 관리나 지식층에서도, 튀지 않으면서도 조용히 사람들 속으로 스며드는 그녀의 행동에 대해 긍정적인 평가를 내렸다. 사실 그들은 일반인들보다 훨씬 고정된 틀을 가지고 있었기 때문에, 죄인이라고 낙인찍힌 사람을 다시 인정해 준다는 일은 쉽지 않

았다. 이제 그녀가 가슴에 달고 있는 주홍 글씨는, 좋은 일을 수도 없이 많이 한 상징이 되어 버렸다. 이 곳에 처음 온 사람들이 헤스터의 가슴 위에 빛나는 그 글자를 가리켜 묻는 일이 있었다.

"저기 어린아이와 함께 바삐 걸어가는 여인의 가슴 위에 달고 있는 글자는 무얼 뜻하는 게요?"

"헤스터를 가리키는 모양이군요. 그녀는 우리 마을에 없어서는 안 될 사람이오. 어려운 일이 있는 곳에는 반드시 나타나 소리 없이 일을 처리해 주고는, 금방 사라져 버리곤 하는 우리 마을의 귀한 분이지요. 그녀가 달고 있는 저 글자 역시 그런 아름다운 뜻이 담긴 상징적인 것이랍니다."

물론, 모든 사람이 그렇게 생각하고 말한 건 아니었다. 여전히 헤스터가 저지른 옛일을 들추어내며 그녀를 비웃는 사람들도 있었다. 하지만 그녀는 그런 일에 아무런 반응도 보이지 않았고, 곧 그녀를 헐뜯던 사람들도 그만 시들해지고 말았다. 오히려 그녀에 대한 이야기는 사실 이상으로 말이 부풀려져 신비스러운 경지에 이르렀다.

"글쎄, 헤스터가 무심히 걸어가고 있는데, 한 인디언이 그녀의 가슴에 붙은 주홍 글씨를 향해 활을 쏘았다지 뭔가?"

"뭐라고? 그래서 어떻게 되었나?"

"활은 주홍 글씨를 맞히고 그대로 땅에 떨어져 버렸다고 하네. 물론 헤스터에게는 상처 하나 남기지 않고 말이야."

말도 되지 않는 소문이었지만 사람들은 그럴 수도 있다고 생각했다. 왜냐하면, 그 주홍 글씨는 사람을 변화하게 만드는 신비로운 힘을 가지고 있다고 믿었기 때문이었다. 그들이 헤스터를 이렇게 굳게 믿는 이유 가운데 하나가 바로 헤스터의 변한 모습에 있었다. 예전의 그녀는 모든 여자들이 질투를 느낄 만큼 아름답고 매력적이었다. 하지만 지금의 헤스터의 모습은 그 때와는 거리가 멀었다.

윤기 없는 얼굴색, 초라한 옷차림, 꼭 묶어 버린 머리, 딱딱하게 굳어 버린 표정 등은 별로 사람들의 주목을 끌지 못했다. 그녀는 단지, 어머니의 이름으로 어린 딸을 보호해야 하는 임무만을 남기고, 그 외의 것은 주저 없이 버렸다.

사실 헤스터는, 바다 건너에서는 일상화된 진보적인 사고방식을 흡수하고 있었는지도 몰랐다. 유럽에서는 벌써 사회적인 제약을 깨뜨리고 새롭게 편성하려는 움직임이 일었다. 만약 이러한 낌새를 알았다면, 사람들은 그녀를 그대로 놔두지 않았을 것이다.

그녀는 자신에게 주어진 사회적인 처벌을 진실된 마음으로 전부 받아들일 수는 없었다. 마음 한구석에는 관리들이 자신에게 내린 처벌이 부당한 것은 아닐까 하는 생각이 일었다. 하지만 그런 생각들을 겉으로 드러내는 일은 절대 하지 않았다. 즉, 생각은 그렇게 했지만, 이 곳의 처벌을 불평 한 마디 하지 않고 달게 받았다. 생각과 행동이 일치되지 않았지만, 큰 문제는 아니라고 여겼다.

'만약 펄이 태어나지 않았더라면 내 인생은 어떻게 달라졌을까? 아마 내가 저지른 죄의 대가가 너무 부당하다고 여기저기에 하소연을 하며 사람들을 만나러 다녔겠지. 그러다 나와 생각이 맞는 사람들과 어떤 조직 같은 걸 만들었을 거야. 그리고 일반 사람들이 주인이 되는 세계를 만들기 위해 내 삶을 불살랐겠지.'

그녀의 생각처럼 지도자가 되었거나, 아니면 사회를 뒤집어 놓으려는 반역자가 되어 결국 처형을 당하게 되었을 것이다. 그러나 하느님은 그녀가 사회적인 혁명가보다는 한 어린아이의 어머니로서 살아가기를 원하셨다. 인간의 자식을 기르면서 애정과 갈등, 혼란스러움을 충분히 가르쳐 주고자 하셨지만, 그것이 옳은지는 아직도 알 수 없었다.

'아, 사람들의 곱지 않은 시선은 나와, 내가 낳은 펄에게도 와 닿고 있어. 이 아이는 내가 지은 죄를 대변하고 있어. 보통 아이와는 뭔가 다른 이 아이를 낳은 것은 잘한 일인지 모르겠어. 때로는 너무 괴로워 딴곳으로 가 버리고 싶어.'

헤스터는 이렇게 늘 번민하며 펄을 애처로운 눈길로 바라다보았다. 그리고는 그만 이 세상을 떠나 펄과 함께 천국으로 가 버리는 게 훨씬 마음 편하지 않을까 하는 생각까지 하게 되는 것이었다. 그녀는 이 세계의 질서와 의식에 맞지 않는 자신이, 이 곳에 필요 없는 존재가 아닐까 하는 자책감에 빠져들었다.

대부분의 사람들이 그녀를 인정해 주고 있는 것과는 달리, 헤스터의 마음속과 머릿속은 그렇게 간단하지 않았다. 하지만 우연하게 딤스데일 목사와 광장의 처형대 위에서 만난 다음부터 그녀에게는 새로운 목적이 생겼다.

'아, 나만 사람들과 동떨어진 생활을 하고 있는 줄 알았어. 하지만 사람들로부터 대단한 존경을 받고 있는 목사님이 그렇게 괴로운 나날을 보내고 있는 줄은 정말 몰랐어. 이제까지 보아 왔던 당당한 모습은 온데간데없고, 내일을 알 수 없을 정도로 몸이 그토록 약해져 있다니.'

딤스데일 목사는 거의 정신병자 수준에 가까웠다.

'물론 그가 받아야만 할 죄의 대가라고 할 수도 있지만 이런 방법은 옳지 못해. 게다가 선한 얼굴을 한 채 그의 곁에 머물면서, 고통의 강도를 조종하고 있는 사람이 있다는 걸 알게 된 이상,그냥 보고만 있을 순 없어.'

그 동안 로저 칠링워스가 하는 대로 내버려둔 채, 무관심하게 바라만 보았던 자신 또한 죄인의 한 사람이라고 생각했다.

'아니야, 난 그럴 생각은 없었어. 단지 로저 칠링워스가 목사의 숨겨진 죄를 사람들에게 고발해 버릴까 봐, 그의 말을 들었던 것뿐이야.'

이렇게 스스로를 위로해 보았지만, 목사의 지금 모습을 생각하면 참으로 처참했기 때문에 마음이 안정되지 않았다.

'그래, 이제 내가 나설 차례야. 더 이상 목사의 꺼져 가는 생명의 불빛을 저대로 두고 볼 수가 없어. 이제까지 이 곳 사람들과 힘겨운 싸움을 벌여 왔던 것처럼 마음만 먹는다면 할 수 있을 거야.'

대단한 결심을 한 그녀의 얼굴엔 비장함마저 서려 있었다. 미래에 대해 아무런 계획과 방향도 없이 살아가던 사람에게 한 가지 해야 할 일이 생겼다는 것은 새 삶의 신호가 될 수가 있었다. 그렇게 작정하며 기회를 찾던 중, 마침내 자연스럽게 로저 칠링워스와 이야기를 나눌 수 있는 날이 왔다.

그녀가 늘 하던 대로 오후가 되어 일감을 잠시 손에서 내려놓고, 펄과 함께 근처 숲 속을 걷던 어느 날이었다.

'아니, 저 사람은 어디서 많이 본 듯한데.'

그들이 걷고 있는 곳의 멀찍이 낯선 사람이 허리를 굽혀 무언가를 열심히 들여다보고 있었다.

'로저 칠링워스가 틀림없어. 잘됐구나. 그러지 않아도 만날 기회를 엿보고 있었는데, 이런 곳에서 마주칠 줄이야.'

그녀는 그와 조용히 이야기를 나누기 위해, 먼저 펄에게 당부의 말을 했다.

"펄, 엄마 말 잘 들어. 엄마는 저 앞에 있는 사람과 할 이야기가 있으니, 너는 이 근처에 있는 냇가 근처에 가서 잠시 놀다 오너라. 절대 멀리 가서는 안 된다. 알았지?"

"응, 엄마 말대로 저기서 놀고 있을게."

펄은 그 즉시 냇가로 내려가서 졸졸졸 흐르는 시냇물에 발을 담가 보기도 하고, 근처에 핀 들꽃을 꺾기도 했다. 아이는 즐거운 듯이 주변의 나무와 꽃과 어울려 그들에게 무슨 이야기를 들려주기도 했다.

헤스터는 펄의 흥얼거리는 노랫소리를 간간이 들으면서, 발길을 돌려 약초더미를 캐느라 정신이 없는 의사에게 다가갔다.

"저 좀 보시겠어요?"

인기척 소리에 놀란 의사는 구부렸던 허리를 펴며 일어섰다.

"아니, 이게 누군가? 헤스터로군. 내게 무슨 할 이야기가 있는 모양이군. 참, 나도 당신에게 전해 줄 말이 있어. 어제 높은 자리에 있는 관리 한 사람을 만났는데, 그 사람이 들려준 말에 의하면 당신이 달고 있는 주홍 글씨를 떼어 내는 문제를 여러 사람들과 의논한 모양이야. 그래서 난 그 사람에게, 헤스터의 주홍 글씨를 지금 당장 떼어 버린다고 해도 상관없을 것이니 그렇게 해 달라고 부탁했어."

"고맙군요. 하지만 이제 이 표지를 떼어 내는 것은 높으신 분들 마음대로 할 수 있는 일이 아니에요. 그 사람들이 내게 붙여 준 것이라고 해도, 이 표지를 없애는 건 하느님의 뜻을 따르겠어요. 그 시기가 언제가 될지 몰라도……."

"호, 그렇군! 당신 마음대로 하도록 해. 지금 보니 그 표지가 없어진다면 당신이 서운하겠는걸. 당신에게는 아주 잘 어울려!"

로저 칠링워스가 비꼬는 말투로 대답하는 동안, 그녀는 그를 유심히 살펴보았다. 겉으로 보기에는 예전보다 오히려 더 강인해 보였지만, 좋아졌다고 말할 수 없었다. 그녀가 알고 있는 의사는 학자다운 면을 갖춘 지성인이었다. 그의 얼굴엔 늘 슬기롭고 냉정함이 돋보였다. 하지만 지금 그의 모습은 마치 교활한 여우 같았다.

마치 한 마리의 먹이가 자신에게 걸려들면, 여러 가지 잔꾀를 써서 손아귀에서 벗어날 수 없도록 하는 악랄함과 같은 것이었다. 물론, 그는 사악한 모습을 얼굴에 나타내지 않으려고, 웃음과 미소로 위장하고 있었다. 특히 두 눈은, 마치 악마의 불길을 숨겨 놓은 곳처럼 빨갛게 충혈되어 있었다.

'예전하고는 전혀 다른 얼굴을 하고 있어. 악마의 마음을 오랫동안 가지고 있다가, 결국 악마의 모습으로까지 변한 느낌이야.'

의사는 수년 동안 목사의 곁에서 그의 행동을 주의 깊게 관찰하고 난 후에, 결국 비밀을 알아내고는 상대방의 불 같은 고통에다 서서히 기름을 들이붓고 있었다. 헤스터는 의사에게서도 서서히 멸망해 가는 모습을 볼 수 있었다. 본인은 복수의 칼을 들이대고 있기 때문에 오히려 행복하다고 말할지도 몰랐지만, 곁에서 지켜보는 입장에서는 그 역시 망가지고 있다는 걸 느낄 수 있었다.

'아, 고통을 당하고 있는 목사님과 그 괴로움을 더해주고 있는 로저 칠링워스, 둘 다 점점 최악의 상태로 치닫고 있어. 여기에는 방관만 하고 있던 나에게도 큰 책임이 있어. 어쩌면 좋단 말인가?'

잠시 침묵이 흐른 후, 의사가 한 마디 던졌다.

"왜 그렇게 나를 유심히 보고 있지?"

"글쎄요, 아마도 변한 당신이 안쓰러워서라고 하면 믿어 주실까요?"

의사는 무슨 말인지 잠시 생각해 보았다.

"이런 이야기는 그만두고, 당신에게 할 이야기가 있어요. 당신과 나 외에도 고통에 떨고 있는 또 한 사람에 관해서……."

"고통에 떨고 있는 사람이라……."

의사는 자신이 알고 있는 다른 사람의 이야기가 나오자, 일그러진 얼굴이 되었지만, 언젠가 한 번은 나누어야 할 이야기인지라 마음속으로 흡족해했다.

"좋소, 나도 그 사나이에 대해 생각하고 있었소. 우리 사이에 그 사람의 이야기가 빠진다면 재미 없을 테지."

"당신과 한 약속이 벌써 7년이 다 되어가는군요. 당신과 나와의 관계에 대해 입 밖에 내지 않기로 단단히 약속을 했지요. 제가 아끼는 분의 지위와 생명에 관계된 일이라서, 그렇게 하는 것이 좋다고 여겼지요. 그렇게 하는 것이 그분을 위한 저의 마지막 배려라고 생각했는지도 몰라요. 하지만 지금에 와서야 그게 얼마나 잘못된 일이었는지 분명히 깨달았죠. 당신은 계획적으로 그분과 친하게 지내는 척하면서, 천천히 그분의 목을 조르고 있어요. 그분은 당신이 누구란 것을 모르고 당하고만 있는 셈이죠. 일이 이렇게 된 이상, 나도 더는 이 상황을 지켜만 볼 수 없어요."

그녀의 표정엔 굳은 결심이 어려 있었다.

"하하하! 나에게 지금 협박이라도 하는 건가? 한 마디만 입 밖으로 내면 그 사람은 당장 사람들에게 끌려나와 큰 수모를 당한 뒤, 결국 사형대에 오르고 말걸."

"어차피 죽을 목숨이라면 그 편이 훨씬 낫겠어요!"

"당신 말이 맞을지도 몰라. 그 남자도 무언지 모를 힘이 자신에게 붙어 다닌다는 걸 전혀 알지 못하는 것은 아니야. 자신을 괴롭히고 서서히 조여오는 악마의 손길이 나라는 걸 모를 뿐이지. 목사라는 신분이기 때문에 그 손길이 사람일 거라는 걸 감히 상상도 하지 못하고 단지 악마의 손짓이 아른거리고 있다고 믿고 있어. 믿지 않겠지만, 나도 처음부터 이럴 생각은 없었어. 하지만 내 인생을 엉망으로 망쳐놓은 사람이, 사람들에게 가장 존경받는 목사라는 걸 확인한 순간 복수의 불길이 치솟기 시작했어."

헤스터의 눈앞에 있는 의사의 모습은 이미 악마의 무리 중 한 사람이었다.

"이제 그만 해도 충분히 그분을 궁지에 몰아넣지 않았나요? 그분에게서 당신이 뻗친 악의 손길을 그만 거두어도 좋을 텐데."

"말도 안 되는 소리야! 이제부터 시작인지도 몰라. 헤스터, 당신은 9년 전의 내 모습을 기억하고 있어? 그 때만 해도 열매가 무르익을 즈음인 인생의 가을을 맞이하고 있었어. 하루하루를 연구에 몰두하면서, 나 자신과 인류의 행복을 위해 온 힘을 다 기울였어. 변화가 많은 생활은 아니었지만 그런대로 행복했어. 아마 나 혼자만의 생각인지는 모르겠지만, 최소한 당신의 눈에도 지금의 이 모습은 아니었을 거라고 생각해. 성실하고, 작지만 당신에게 따뜻한 애정도 함께 가졌다고 생각해. 내가 잘못 생각한 걸까?"

"당신 말이 맞아요. 그 당시의 당신 모습은 학자답게 근사해 보이는 그런 분이셨어요."

헤스터의 대답을 확인한 의사는 또다시 참을 수 없는 분노가 끓어올랐다.

"지금 당신이 보고 있는 나는 도대체 어떻게 된 거지? 누가 나를 이 꼴로 만들어 놓았느냐 말이야? 누가 이렇게 악마의 마음과 악마의 모습으로 서서히 변하게 했어? 이 모든 게 내 잘못인가?"

그녀는 순간 움츠러드는 자신을 발견했다. 하지만 이내 그 앞에 고개를 숙이고 힘없는 소리로 대답했다.

"당신도 잘 알고 있겠지만 일이 이 지경에까지 이른 것은 모두 내 잘못이에요. 그런데 왜 내게 복수를 하지 않는 건가요?"

의사는 잠시 마음을 가라앉히고 조용히 말했다.

"아직도 모르고 있는 건가? 당신에게는 이 주홍 글씨가 내 대신 벌을 내린 거야. 그 이상은 당신을 향해 내가 할 수 있는 짓이라곤 아무것도 없어."

의사는 헤스터의 가슴에 달린 주홍 글씨를 무심히 내려다보았다.

"이 부정의 표지만으로도 당신에 대한 복수는 충분해. 그런데 당신이 나에게 무얼 바라는 거야?"

"내 결심을 당신에게 알려 드리려고 해요. 이제 더 이상 당신의 비밀을 지켜 드릴 수가 없어요. 그 사람에게 당신이 어떤 사람이라는 걸 말해야 할 것 같아요. 그 다음에 일어날 일은 신에게 맡기겠어요. 그 사람이 파멸의 구렁텅이로 떨어지는 걸 더 이상 보고 있을 수만은 없어요. 앞으로 더 상황이 나빠진다고 해도 제 결심은 변함이 없어요. 당신이 그분의 비밀을 여러 사람 앞에 드러내 놓는다고 위협해도 할 수 없을 거예요. 그분과 나, 펄에게는 더 이상 구원의 손길이 오지 않을 테니, 이제부터는 당신 마음대로 하세요."

의사는 헤스터의 이야기를 듣고 있는 동안, 왠지 마음속이 따뜻해지며 감동되었다.

'흠, 남을 생각할 줄 아는 따뜻한 마음을 가진 여자군.'

하지만 그는 목사를 향한 복수를 그만둘 수 없었다.

"헤스터, 당신은 괜찮은 여자로군. 나보다 마음이 따뜻한 남자를 만났더라면 훨씬 좋았으련만. 사랑하는 사람을 자신보다 더 배려하는 마음은 훌륭하지만, 쓸모없게 되어 버릴지도 모르니 말이야."

"당신도 마찬가지예요. 사람이란 자신을 해친 사람을 용서할 줄 알아야 더 나은 세계로 나아가는 법인데, 당신은 복수심에 불타서 자신을 점점 망쳐 가고 있다는 사실조차 깨닫지 못하고 있어요. 다른 사람을 위해서 살지 말고 자신을 바라보세요. 당신을 멍들게 한 사람에 대한 앙갚음은 하느님께 맡겨 버리세요. 인간의 자격으로 아무리 죄가 많은 사람일지라도, 대신 벌을 주려해서는 안 돼요. 당신도 역시 망가질 뿐이에요. 이 말은 오직 당신을 염려하는 제 진심입니다."

의사는 더 이상 헤스터의 말을 듣고 있을 수 없었다. 그녀의 말은 자신이 모두 인정하기 싫은 말이었다.

"당신 말이 맞을지도 몰라. 하지만 다시 되돌리기엔 너무 많이 와버렸어. 나도 내 마음을 어떻게 할 수가 없어. 당신이 일을 이렇게 만들지만 않았더라도 난 지금 내가 좋아하는 연구에만 골몰하고 있었을 거야. 아니, 내가 지금 마음을 바꾼다고 하더라도, 다시 상황이 좋아지진 않는다는 걸 당신도 느낄 수 있을 거야. 이제 우리들의 운명은 어쩔 수 없어. 당신이 하고 싶은 대로 해. 그 남자도 역시 자신의 길을 갈 테니."

의사는 할말을 다 한 듯, 더 이상 이야기할 것이 없다는 얼굴로 뒤돌아서고 말았다. 그는 뒤에 헤스터가 서 있다는 것을 잊은 듯 자신의 일에 열중했다. 허리를 굽혀 이리저리 들꽃을 찾아다니던 그는, 헤스터가 있는 곳에서 점점 멀어져 갔다.

'무얼 저렇게 열심히 찾아 헤매는 걸까? 악마의 힘을 가진 신기한 마법의 풀이라도 발견해 내려는 걸까? 아니, 혹시 그의 손길이 닿은 것만으로도, 독을 가진 새로운 종자가 되고 말지도 모르지.'

그가 걸어가고 있는 숲 속 주변에는 서서히 어둠의 그림자가 드리워지고 있는 것 같았다. 찬란한 햇빛은 그를 비껴가고 있었다.

"어떻게 저 사람과 함께 살았는지 모르겠어."

헤스터는 저절로 흘러나오는 소리에 깜짝 놀랐다.

"어머, 내가 지금 무슨 말을 한 거야. 저 사람을 미워할 자격이 내게는 없는데."

그녀는 그런 생각들을 지우기 위해, 그와의 행복했던 일들을 떠올렸다. 서재에서 열심히 책을 보던 그는 날이 저물 때쯤이면, 난롯가에서 바느질을 하고 있는 그녀에게로 와서 무슨 이야기인가 나누곤 했다. 그 당시 그녀는 그것이 결혼한 여자들의 행복이라고 여겼다. 하지만 그의 본모습을 알고 난 후로는 그 때의 일이 꺼림칙하게 여겨졌다.

'그 때도 저 사람은 자신의 마음을 숨기고 거짓 미소를 내게 보낸 건지도 몰라. 아, 그 시절을 어떻게 보냈는지 모르겠어.'

헤스터는 그와 결혼했던 일까지 후회하고 있었다. 그의 손길이 자신의 몸에 닿았던 때가 있었다는 사실에 몸서리쳐졌다.

"지금 내 생각이 맞을 거야. 저 사람은 그 당시에도 나를 속였던 게 틀림없어! 그것도 철저히 말이야."

그녀는 이제 예전에 순수했다고 주장하던 저 사람의 말조차 믿을 수가 없었다. 로저 칠링워스의 모습이 눈앞에서 완전히 사라져 버리는 걸 확인하고 난 후, 그녀는 번쩍 펄을 떠올렸다.

"참, 펄이 있었지!"

그녀는 펄의 이름을 부르며 시냇가로 내려갔다. 그 동안 펄은 엄마가 언젠가 본 적이 있는 의사 선생님과 이야기하려는 걸 알고는 근처 시냇가에서 여러 가지 놀이를 하며 혼자 놀고 있었다. 하지만 이내 재미없는 놀이에 싫증을 느끼고는, 그 곳에서 그리 멀지 않은 바닷가 근처로 가서 모래 틈에 숨어 있는 작은 조개를 잡았다. 간혹 해파리와 불가사리가 눈에 띄어 펄을 즐겁게 했다.

펄은 깔깔대며 그것들과 여러 가지 모양을 만들며, 시간 가는 줄 모르고 놀았다. 아이는 바닷가 근처에서 흔히 발견되는 해초 따위들을 한 곳에 모았다. 모아진 해초들을 몸의 여기저기에 감았다가 풀고는 다시 머리 위에 얹었다. 이야기책에서 봤던 아름다운 인어로 변하기 위해 갖은 모양을 다 냈다.

'그래, 엄마를 깜짝 놀라게 해 주자.'

장난기가 발동한 펄은 생각한 것을 즉시 행동에 옮겼다. 가지고 있던 해초를 가슴에 이어 붙여 A라는 글자를 만들었다. 비록 엄마의 것처럼 주홍 글씨가 아닌 녹색의 글씨였지만, 왠지 모르게 가슴이 설레었다.

펄 역시 태어날 때부터 엄마의 주홍 글씨에 대해 관심이 많았다. 자신의 분신이기라도 한 것처럼 마음이 끌렸다. 하지만 엄마는 그것에 대해 자세히 이야기하려고 하지 않았다. 펄은 점점 자라면서 마을 사람들의 시선과, 외로운 오두막집에서 살아가야 하는 자신들의 운명에 조금씩 궁금증을 느꼈다.

'엄마가 내가 만든 이 글자를 보고 뭐라고 하실까?'

펄은 자신이 만든 해초 더미의 글자를 엄마가 어떤 표정으로 바라다볼 것인지 궁금했다. 아이는 다시 한 번 해초 더미를 내려다보았다. 그때였다. 어디선가 자신을 부르는 엄마의 목소리가 들렸다. 헤스터는 시

냇가에 있어야 할 펄의 모습이 보이지 않자, 근처 바닷가를 찾았다.

"엄마, 나 여기 있어."

소리 나는 곳을 향해 펄은 강아지처럼 펄쩍 뛰기도 하고, 손을 흔들기도 하면서 엄마에게 달려갔다.

"어머, 펄! 네 가슴에 붙인 게 뭐니?"

헤스터는 펄이 옷에 만들어 붙인 해초 더미가 A라는 글자를 나타내려는 것임을 눈치채고는 잠시 당황했다.

'이 애가 도대체 무슨 장난을 하고 있는 거지?'

그녀는 잠시 마음을 가라앉히고 딸을 향해 조용히 물었다.

"펄, 엄마와 똑같은 모양의 글자를 만들었구나. 하지만 네가 만들어 붙인 것은 아이들에게 아무 의미가 없는 거란다. 혹시 너 그 글자의 뜻을 알고 있니?"

혹시나 하는 마음에 그녀는 펄을 향해 숨김없이 물었다.

"엄마는 내가 바본 줄 아나 봐?"

"그럼 알고 있다는 말이구나. 엄마에게 네가 알고 걸 말해 주겠니?"

"이 글자는 대문자 A라고 해. 나도 그 정도쯤은 알아."

그녀는 펄의 순진한 대답에 저절로 웃음이 나오려는 걸 간신히 참았다. 이 정도에서 그만 해도 될 질문을 헤스터는 참지 못하고 내뱉었다.

"펄, 엄마가 왜 이 글자를 가슴에 붙이고 다니는 줄 아니?"

"정말 이야기해도 돼?"

"그럼, 야단치지 않을 테니 네가 생각했던 것도 좋고, 다른 사람들에게 들었던 것이라도 괜찮아."

"그건 딤스데일 목사님이 늘 가슴에 손을 대고 있는 것과 같아."

그녀는 펄의 대답에 그만 '악' 하고 소리를 내지를 뻔했다.

'이 아이는 이 글자가 의미하는 뜻과 내용을 다 알고 있단 말인가? 설마, 그 동안 아무에게도 말하지 않았던 일을 어떻게 다 알고 있을까?'

이제 되돌릴 수 없는 막다른 골목까지 온 셈이었다.

"펄, 솔직히 대답해 줘. 이 글씨가 엄마가 알고 있는 사람과 무슨 관계가 있다는 뜻이니?"

"더 이상은 나도 몰라. 아, 좋은 생각이 났어. 엄마가 궁금해하는 것들은, 조금 전까지 엄마와 이야기를 나누던 의사 선생님이 알고 있을지도 몰라. 그분에게 물어 보면 되잖아. 엄마, 이제 나에게도 말해 줘. 엄마는 왜 이 글자를 떼지 않고, 이렇게 붙이고 다녀야만 하는 거야?"

그녀는 어리다고만 여겼던 펄이 제법 진지한 눈빛으로 엄마의 손을 꼭 쥔 채 말하는 것을 보고 대견스러웠다.

'벌써 펄이 이렇게 컸구나. 마냥 어리다고만 여겨 왔는데, 어느 새 이런 이야기를 함께 나눌 정도가 됐으니 말이야.'

그 동안 펄은 종잡을 수 없는 아이였다. 엄마의 기분에는 아랑곳하지 않고 제멋대로 생각하고 행동했다. 어떤 때는 이거다 싶으면, 전혀 다른 짓을 해서 그녀를 당황하게 만든 적이 한두 번이 아니었다. 펄을 잘 알지 못하는 사람들이 보면, 아이의 성격이 어둡고 독단적이라고 표현할 것이다. 하지만 펄에게는 무슨 일이든지 지기 싫어하는 강한 의지와 더불어, 옳지 못한 일에 대해 말할 수 있는 용기가 있었다.

오늘 본 펄의 모습은 예전에 보아 온 변덕쟁이가 아니었다. 그녀는 감당할 수 없는 펄의 성격을 보고, 혹시 인간의 자식이 아닐지도 모른다는 생각을 한 적이 있었다. 만일 펄이 그런 모습을 어른이 되어서도 가지고 있다면, 그 모든 책임은 자신에게 있다고 여겼다. 어린 시절부터 펄은 부정한 표지의 글자에 대해 특별한 관심을 가지고 있었다.

'분명 펄과 주홍 글씨는 내가 알고 있는 것보다 훨씬 깊은 관련이 있어. 저 아이는 악마의 기질과 천사의 마음을 함께 가지고 있어.'

이런 생각에 빠져 있는 동안 펄은 다시 엄마를 조르기 시작했다.

"엄마, 내 말이 안 들려? 주홍 글씨의 뜻과, 목사님이 가슴에 손을 얹고 다니는 이유에 대해 얼른 말해 줘!"

헤스터는 어떻게 이야기해 주어야 할지 망설였다.

'그간의 일을 모두 들려주기에는 너무 어린 나이야. 하지만 거짓말을 한다는 건 옳지 못한 일인 것 같고.'

그녀는 잠시 망설이다가 톡 쏘는 말투로 대답했다.

"펄, 이 세상에는 어린아이들이 몰라야 할 것들이 아주 많단다. 네 나이 때도 아직은 어른들의 일을 모두 알아서는 안 된다. 게다가 목사님이 왜 가슴에 손을 얹고 다니는지 엄마도 알 수 없는 일이야. 다른 사람의 일까지 자세히 알고 싶어하는 것은 그 사람 마음에 상처를 줄 수도 있어. 그리고 엄마가 이렇게 주홍 글씨를 달고 다니는 것은, 예쁘게 수놓은 모양이 엄마 마음에 들어서야."

그녀가 달고 있는 주홍 글씨에 대해 이렇게 이야기한 것은 처음이었다. 그녀는 가슴에 달려 있는 표지에 대해 자랑스러워한 적도 없었지만, 굳이 떼어 버리고 싶을 만큼 큰 충동을 느껴본 적이 별로 없었다. 오랜 세월 가슴에 붙이고 있었던 탓인지, 자신의 일부처럼 생각되었다. 그런데 가끔씩 물어 오는 펄의 물음 때문에 새삼 그 의미를 되새기곤 했다.

엄마의 대답은 펄에게 만족감을 안겨 주지 못했다. 아이가 바라는 대답이 아니었음을 눈치챌 수 있었다. 펄은 더 이상 엄마에게 조르지 않았다.

'흠, 이제 궁금증이 사라진 모양이군. 어서 집으로 돌아가야겠다.'

하지만 헤스터의 바람과는 달리, 집으로 돌아온 펄은 저녁밥을 먹는 동안 엄마의 눈치를 살피며 다시 물었다.

"엄마, 아직도 난 주홍 글씨가 무슨 뜻인지 모르겠어."

헤스터가 눈을 살짝 흘기자, 펄은 더 이상 묻지 않고 식사를 계속했다. 그 뒤로 펄은 잠자리에 들 때도 혼잣말처럼 중얼거렸다.

다음 날, 날이 밝아 잠에서 깨어난 펄은, 엄마의 모습이 보이자 다시 물었다.

"엄마, 목사님은 왜 가슴에 손을 얹고 다니지?"

"휴, 네게는 못 당하겠다. 하지만 이제 그만 했으면 해. 제발! 그렇지 않으면 네게 엄한 벌을 내릴지도 몰라."

드러난 비밀

헤스터는, 의사의 정체를 딤스데일 목사에게 알려줘야 한다는 의무감에 사로잡혀 있었다. 저대로 목사 곁에 의사를 놔두어서는 안 된다는 생각에서였다.

'이왕 이렇게 마음을 굳혔으니 하루라도 빨리 목사님에게 이야기를 전해 주어야 할 텐데. 우선 조용히 목사님을 만날 기회를 만들어야겠어.'

그녀는 그 때부터, 목사가 자주 가는 곳을 알아보기도 하면서 마음을 썼다.

'흠, 가끔씩 바닷가 근처나 깊은 숲 속에서 혼자 생각하며 시간을 보내는구나. 마음의 고통을 정리하기 위해서겠지.'

한번은 직접 목사가 사는 곳을 찾아가려고 한 적도 있었다. 그녀가 그 곳에 가서 목사와 단둘이 만난다고 하더라도, 사람들의 의심을 살 일은 없었다. 왜냐하면, 벌써 많은 사람들이 자신의 죄를 목사에게 고백하기 위해, 개인적으로 그 곳을 찾는 경우가 많았기 때문에 겁낼 필요는 없었던 것이다.

'아니, 그건 위험한 일이야. 목사님과 함께 살고 있는 로저 칠링워스가, 내가 찾아간 것을 알면 분명히 훼방을 놓으려고 할 거야.'

게다가 그녀는 늘 많은 사람들로부터 감시의 눈길을 받는 것이 습관처럼 되어 있었기 때문에, 당당히 그를 만나러 갈 용기가 나지 않았다.

'그래, 내 결심이 옳다면 그를 만날 수 있는 적당한 때가 올 거야. 그 때까지 참고 조금만 더 기다리자.'

마침내 그녀가 기다리던 때가 왔다. 아픈 사람을 돌봐 주기 위해 마을에 사는 한 집을 찾았을 때, 그 곳에 온 몇 명의 여인들이 하는 말을 들을 수 있었다.

"오늘 목사님을 뵙고 드릴 말씀이 있는데, 집에 계시겠지요?"

"지금 마을에 안 계셔."

"어머, 그럼 어디 멀리 가셨나요?"

"아침 나절에 교회에 다녀왔는데, 목사님께선 인디언들과 함께 생활하고 있는 엘리엇 전도사를 만나기 위해 떠났다고 하더군."

"그럼, 언제쯤 돌아오실까?"

"오래 머물지는 않을 거라고 하면서, 내일 오후쯤에는 돌아오신다고 했어."

헤스터는 다음 날 적당한 때를 잡아, 펄과 함께 외출 준비를 서둘렀다.

"엄마, 오늘은 어디 가는 거야?"

"아주 중요한 이야기를 하기 위해 누군가를 만나러 가는 거야."

펄은 외출하는 것이 마냥 즐거운 듯, 더 이상 묻지 않고 앞장서 집을 나섰다. 그들은 오두막집을 지나 오솔길을 지나고 있었다. 양 옆에 늘어선 나무들은 그 날따라 좋지 않은 날씨와 더불어, 묘한 분위기를 자아내고 있었다. 그들의 머리 위로는 회색빛 구름이 짙게 깔려 있고, 빛이라고는 큰 나무들 사이로 간간이 보일 듯 말 듯 했다.

조금만 걸어가면 그 빛을 잡을 수 있을 것이라고 생각했지만, 그들이 다가가면 어느 새 찬란한 햇빛은 멀리 도망갔다.

"이상하지. 해님은 왜 자꾸 도망가지? 혹시 엄마의 가슴에 붙인 주홍글씨가 마음에 들지 않아서가 아닐까? 엄마, 잠시만 여기 있어. 난 가슴에 아무것도 붙이지 않았으니까, 해님은 나를 멀리하지 않을지도 몰라."

"펄, 그럼 엄마가 숫자를 셀 테니, 뛰어가서 밝은 햇살을 붙잡아 오렴. 자, 준비 됐지? 하나, 둘, 셋!"

엄마가 숫자를 세고 있는 동안 펄은 앞을 보고 달렸다.

"엄마, 내가 해님을 잡았어! 여기 좀 봐."

펄은 밝은 햇살 속에 환한 웃음을 지으며, 헤스터를 바라보고 어서 이리로 오라고 손짓하고 있었다.

'정말 저 애의 말대로 희망과도 같은 밝은 빛은 나를 외면하는 걸까? 내가 저 아이가 붙잡고 있는 햇살 가까이 다가가면 그 빛이 사라질지도 몰라.'

헤스터는 이런 생각을 하며, 어서 오라고 보채는 아이를 향해 천천히 걸음을 옮겼다. 펄의 활달함은 주변의 어두운 것마저 밝게 해 주는 묘한 구석이 있었다.

'저 밝은 빛은 저 자리에 원래부터 있었던 것이 아니라, 펄이 만들어 낸 광채와도 같은 것임에 틀림없어. 이 세상을 살아가는 데 때로는 필요할지도 모르는 동정심이나 애처로움이 저 아이에겐 없어.'

아이에게 다가가면서 이런 생각을 하는 동안, 정말 햇살은 점점 펄의 곁에서 사라지고 있었다.

"펄, 힘들지. 우리 저 숲 속으로 들어가서 잠시 쉴까?"

"괜찮아. 난 힘들지 않아. 아니, 엄마가 이야기를 해 준다면 그렇게 할게."

"무슨 이야기를 듣고 싶니?"

"응, 이 숲 속에 살고 있는 악마들 이야기를 듣고 싶어. 크고 무거운 책을 들고 이 숲을 서성이다가, 사람을 만나면 한 가지 일을 시킨대."

"무슨 일을?"

"잘 들어, 엄마. 바로 자신들의 피로 이름을 적으라고 한다는 거야. 그러면 악마는 흡족한 표정을 지으며, 그 대가로 사람들의 가슴 위에 어떤 표지를 달아 준다고 해."

"너, 어디서 그런 이야길 들었니?"

헤스터는 펄의 이야기를 듣고 깜짝 놀라며 물었다.

"어제 엄마가 병간호를 해 주러 갔던 집에 살고 계신 할머니가 그러던걸. 내가 눈을 감고 있었는데 자는 줄 알았나 봐. 이 숲 속에 있는 악마에게 그렇게 이름을 써 준 사람들이 벌써 몇백 명이라는데, 히빈스 할머니도 그 중의 한 사람이라는 거야. 엄마의 가슴에 붙인 표지도, 악마에게 이름을 적어 준 표지로 받은 거야? 깜깜한 밤중에 나 몰래 이 곳에 왔었어?"

"펄, 엄마는 그런 적이 없어. 네가 눈을 떴을 때 엄마가 안 보인 적이 있었니?"

"아니, 없었어. 하지만 엄마 혼자 오기 무서우면 나를 데리고 와도 돼. 사람들이 이야기하는 그 악마를 만나 보고 싶어. 엄마, 악마는 정말 이 곳에 있어?"

펄은 궁금해 죽겠다는 표정으로 엄마를 바라다보았다.

"좋아, 하지만 이번 한 번만 가르쳐 줄 테야. 다시는 이런 이야기를 하지 않겠다고 약속해."

"알았어. 빨리 이야기해 줘!"

"잘 들어. 엄마는 그 사람들 말대로 이 곳에서 악마를 만난 적이 있어. 그리고 네가 늘 보고 있는 이 표지는 그 악마가 준 거야."

이런 이야기를 나누며 그들은 숲 속 깊은 곳까지 들어갔다.

"펄, 이리 와! 여기 앉아라."

헤스터는 이끼가 끼어 있는 나무의 그루터기에 걸터앉았다. 그 나무는 예전에는 잎이 무성했을 정도로 오래된 소나무였다. 그들이 있는 곳은 사람들의 발길이 드문 곳으로, 주변에는 작은 골짜기를 이루고 있었고, 그 사이로는 작은 시냇물이 흐르고 있었다.

깊은 숲 속이 거의 그렇듯이, 잘 다듬어지지 않은 원시림의 형태를 이루고 있는 이 곳은 나무 줄기와 잡초가 무성했다.

하늘을 향해 높이높이 뻗어 있는 오래된 나무와 바위들은, 오랜 세월의 흔적을 말없이 보여 주고 있었고, 시냇가를 따라 흐르는 물은 이 곳을 찾는 사람들에게 여러 가지 이야기를 들려주려는 듯이 시끄럽게 좔좔거리고 있었다.

"엄마, 시냇물이 무슨 이야기를 들려주려는 것 같아. 큰 소리로 화를 내는 것도 같고, 조용히 속삭이는 것처럼 들릴 때도 있어."

"그렇구나. 너도 더 크게 되면 시냇물이 하는 이야기를 알아들을 수 있을 거야. 엄마가 지금 듣고 있는 것처럼 말이야."

"엄마, 내가……."

"쉿, 근처에서 무슨 소리가 들리는구나. 아마 엄마가 만나려고 하는 사람인 것 같구나. 펄, 너는 저기로 가서 놀고 있거라. 알았지? 엄마가 부를 때까지 말이야."

"치!"

"펄, 어서 엄마 말 들어."

"이 곳으로 오는 사람이 악마인지도 모르잖아?"

"저리 가라고 했잖아! 하지만 엄마가 있는 곳에서 너무 멀리 가면 안 된다. 엄마가 부르면 곧장 올 수 있도록 말이야."

"알았어. 하지만 지금 오는 사람의 얼굴만이라도 보게 해 줘. 무거운 책을 들고 있는 악마를 직접 만나 보고 싶었어."

"아니야, 악마가 아니란 말이야. 자, 저길 봐. 너도 본 적이 있는 딤스데일 목사님이야. 이제 됐지? 어서 가도록 해."

헤스터의 다급한 심정과는 달리, 펄은 호기심 어린 눈길을 돌리려고 하지 않았다.

"엄마, 목사님께서 내가 말한 대로 손을 가슴에 대고 있어. 악마와 만났을 때 목사님은 그 기념으로 저렇게 하기로 한 걸까?"

"자, 펄. 이제 그만 가도록 해. 이 부근에 있는 시냇물 소리가 들리는 곳에서 놀도록 해라. 알았지?"

펄은 엄마의 애원 섞인 간청에 노래를 부르며 총총히 걸어갔다. 아이는 시냇물 근처보다는 주변에 있는 예쁜 꽃들에 더 관심이 많았다. 헤스터는 그제야 이 곳을 향해 걸어오는 딤스데일 목사에게 눈길을 돌렸다. 그는 막 좁은 오솔길을 오면서 주운 나뭇가지에 의지하며 무심히 걷고 있었다.

누군가 자신을 바라보는 시선이 느껴지지 않는 숲 속에서는 일부러 표정을 만들 필요가 없다고 느꼈는지, 마을에서 보았던 것보다도 훨씬 고통스런 표정이 얼굴 전체에 나타나 있었다. 얼굴빛은 핏기라곤 찾아볼 수 없을 만큼 하얗게 질려 있었다. 거기다 젊은이의 몸이라고는 할 수 없을 만큼 기운이 없어 보였다. 숲은 그를 활기차게 만드는 것이 아니라, 오히려 무덤 같은 고요함으로 그를 어서 오라고 손짓하고 있었다.

'마치 더 이상 살고 싶지 않아서, 이 곳에 뼈를 묻으려는 사람처럼 보여. 고통 속에 일생을 살기보다 영원히 잠들어 버리고 싶을지도 모르지.'

딤스데일 목사의 걸음은 노인처럼 느릿했다. 하지만 그는 주위를 둘러본다든지 고개를 치켜들지는 않았다. 다만 자신의 생각에 잠겨, 그저 앞으로만 걸음을 옮기고 있을 뿐이었다. 그러는 동안 목사는 헤스터 앞을 지나치게 되었다. 목사는 그녀가 그 곳에 있으리라고는 꿈에도 생각지 못했을 것이다. 헤스터는 할 수 없이 조그만 소리로 그를 불렀다.

"목사님."

하지만 그는 바람결에 나부끼는 나뭇잎 정도로 생각했는지, 가던 길을 멈추지 않고 그대로 걸어갔다.

"딤스데일 목사님!"

이번에는 좀더 큰 소리로 부르자, 목사는 흠칫 몸을 떨었다.

"나를 부르는 게 누구요?"

그는 돌아서며 되물었다. 그의 얼굴엔, 이제까지 자신의 모습을 지켜보고 있는 사람이 있었다는 것만으로도 당황하는 빛이 역력했다. 멀리 떨어지지 않은 곳에 사람의 그림자가 얼핏 보이기는 했지만, 날씨가 흐린데다가 무성한 나무들 때문에 알아보기가 힘들었다.

'누굴까? 이 시간에 깊은 산 속에서 마치 나를 기다렸다는 듯이 부르는 사람이……. 아니, 사람이 아닐지도 몰라.'

잔뜩 긴장한 얼굴로 소리가 나는 곳으로 다가간 그는, 한순간 안도의 한숨을 내쉬었다.

'저건 주홍 글씨의 표지로구나. 그렇다면…….'

목사는 그제야 그 곳에 있는 사람이 누구인지 짐작할 수 있었다.

"헤스터로군! 당신이 맞구려. 아직까지 살아 있었군."

"그래요, 헤스터예요. 당신 역시 살아 있기나 한 건지 모르겠어요."

두 사람은 새삼스럽게 살아 있다는 것에 대해 의심이 들 만큼 서로의 모습을 확인하고 나서 이야기를 나누었다. 긴밀한 관계에 있던 사람들이 생각지도 않은 장소에서 얼굴을 마주치게 되면, 마치 저승에서 만난 게 아닐까 하는 의심이 드는 모양이었다. 그 장소가 깊은 숲 속이라면 그런 생각이 훨씬 더할 것이다. 혹시 알고 있던 사람이 망령의 모습으로 나타난 것은 아닐까 하는 의심을 가지면서 이렇게 확인하는 것이다.

목사는 잠시 그 자리에 못박힌 듯이 서 있다가, 천천히 헤스터에게 손을 내밀었다.

"손이 무척 차갑군."

"목사님의 손도 마찬가지예요."

차디찬 두 손이었지만 마주 잡자, 조금 전까지 느껴졌던 서먹함이 조금이나마 없어졌다. 아마 서로의 고통을 잘 알고 있었기 때문인지도 몰랐다. 그들은 서로의 손을 마주 잡고, 천천히 이끼 낀 나무의 그루터기를 향해 걸었다. 조금 전까지 펄과 함께 앉아 있던 그 곳이었다.

"오늘은 날씨가 잔뜩 흐려 있군. 마치 큰 비라도 내릴 것 같아."

"깊은 숲 속이라 더 그렇게 느껴지는 것 같아요."

"헤스터, 참 오랜만이군. 좀 야윈 것 같은데, 몸은 좀 어떻소?"

"제가 보기에는 목사님의 건강이 심상치 않은 것 같아요. 식사는 제때 하고 계신가요?"

이들은 알고 있는 사람들이 오랜만에 만나면 으레 하는 이야기를 나누면서, 조금씩 마음의 문을 열려고 했다. 그들은 천천히 마음속 깊이 넣어 두었던 이야기를 나누기 위해, 가벼운 신변의 일들을 주고받았다. 그렇지 않았다면 아마 아무런 말도 하지 못했거나, 그냥 헤어져서 각자의 길로 갔을지도 몰랐다.

결국 목사가 먼저 그들의 이야기를 꺼냈다.

"요즘 헤스터의 마음은 어떤 상태야? 짧지 않은 시간이 흘렀고, 죄의 대가도 치를 만큼 치렀으니 고통 따윈 없겠지."

그녀는 짧은 미소를 짓고는, 자신의 옷에 달린 주홍 글씨를 내려다보았다.

"당신은 어떠신가요?"

"보는 바와 같이 난 절망의 끝을 달리고 있는 느낌이야. 사람들로부터 죄의 대가를 받지 않고, 나 자신조차도 숨기면서 사는 사람이 이런 불평을 하다니 말도 안 되는 이야기지만 말이야. 아니, 내가 좀더

단순하게 살아가는 사람이었거나 목사가 아니었다면 , 이런 고통조차 도 느끼지 못했을지도 몰라. 내게 있는 능력과 재능도 거추장스럽게 나를 괴롭히는 게 되고 말았어. 난 비참한 인간이 되어 겨우 살고 있어."

"그건 당신의 생각일 뿐이에요. 많은 사람들이 당신을 존경하고 있고, 당신도 노력하고 있어요. 왜 그런 곳에서 기쁨을 찾지 못하나요?"

"그건 헛된 일이야. 나 같은 죄인이 어떻게 그들의 영혼을 맑게 해 주는 일을 할 수 있겠소? 그건 환상일 뿐이야. 그들은 나의 본래 모습을 알게 되면 순식간에 나를 경멸하고 말 거야. 존경받는다는 것은 한순간에 없어질 수도 있는 모래성과도 같은 거야. 나를 대단한 사람으로 믿고 따르는 사람들을 보면 내 마음은 더욱 괴로워. 그들의 눈을 바라볼 때, 난 쥐구멍이라도 있으면 숨고 싶은 심정이야."

헤스터는 머리를 감싸쥐며 괴로움에 신음하는 목사가 더없이 불쌍해 보였다.

"제발 그렇게 생각하지 마세요. 사람이란 한때 실수를 저지를 수 있어요. 당신은 진심으로 그 죄를 뉘우치고 반성하고 있잖아요. 사람들 눈에 비친 당신의 모습을 인정하려고 노력해요. 그게 진실이니까요. 당신이 마음먹기에 따라 인생이 달라질 거예요."

목사는 헤스터의 위안에 세차게 고개를 저었다.

"아니야, 아직 진정한 반성을 하지 않았어. 마음속으로만 하는 회개는 가치가 없어. 목사의 신분을 벗어 던질망정, 사람들 앞에 나서서 진정으로 용서를 빌어야 하는 거야. 헤스터, 당신은 진정으로 용기 있는 사람이야. 내 가슴속에는 사람들 몰래 주홍 글씨가 활활 타오르고 있어. 7년이라는 오랜 세월 동안 이런 이야기를 나눌 사람이 단 한 사람도 없었는데, 오늘 당신과 마음속에 있는 일을 나누니 마음이 후련해지는군. 모든 사람들로부터 칭찬을 받는 것보다, 단 한 사람에게라도 내 이야기를 털어놓을 수 있다는 사실이 나를 살아가게 만드는 건지도 모르겠어."

헤스터는 이제, 자신이 이 곳에서 그를 만나려고 했던 이유를 말해도 된다고 생각했다. 오늘 목사가 그녀에게 마구 쏟아놓은 이야기는, 그녀가 하려는 말을 쉽게 꺼내 놓을 수 있는 좋은 기회가 되었다.

"제가 당신의 영원한 친구가 되는 걸 허락한다면, 그렇게 해 드릴게요. 그전에 말씀드릴 게 있어요. 당신이 가끔씩 느끼는 악마의 손길은 당신의 망상이 아니에요. 그 악마는 인간의 모습으로 당신 곁에 있어요. 그것도 아주 가까이에……."

딤스데일 목사는 자신의 감정이 격해 있었기 때문에, 헤스터의 이야기를 잘 알아듣지 못했다. 그녀는 다시 한 번 분명히 말했다.

"당신의 적은 당신과 같은 집에 살고 있어요."

"무슨 소리야? 나와 함께 살고 있는 사람이 어쨌다고?"

목사는 그제야 소스라치게 놀란 듯, 자신도 모르게 가슴을 움켜잡고 있었다. 그녀는 목사의 자지러질 듯한 모습을 눈으로 확인한 후, 자신이 그 동안 이 사나이에게 무슨 짓을 저질렀는지 알 수 있었다.

'아, 왜 그 동안 의사가 하는 대로 내버려두고 바라만 보았단 말인가? 저처럼 나약한 사람이, 자신을 해치려는 사람과 함께 지낸다는 것은 얼마나 큰 고통인가?'

그녀는 이제까지 자신의 고통으로 인해, 다른 사람을 돌아볼 여유가 없었다. 그리고 목사 같은 경우, 자신보다 훨씬 그 고통의 무게가 덜할 것이라고 생각했다. 자신과 펄이 목사와 함께 처형대에 서던 날부터, 그녀는 조금씩 목사의 마음을 살피기 시작했다. 그리고 오늘에 이르러서 그의 고통의 나날에 대한 이야기를 듣고는 자신의 무책임함을 한탄했다.

늘 목사 주변을 맴돌며, 보이지 않는 손짓으로 괴롭혀 왔던 의사의 악랄함이 새삼스럽게 그녀의 마음을 괴롭혔다. 한때는 그녀가 목사에게 이 사실을 말하지 않는 것이 오히려 그의 명예와 지위를 보장하는 길이었음을 확신한 적도 있었다. 이제 목사의 표정에서 자신 역시 확연히 드러난 공범자였다는 것이 확인되었다.

"아, 어쩌면 좋아요. 당신이 이렇게 괴로워할 줄은 미처 몰랐어요. 저는 제 나름대로 진실하게 살려고 노력했고, 그렇게 살아왔다고 확신했어요. 당신을 보호하려고 했던 일이 오히려 당신을 그토록 괴롭히고 있는 줄 알았더라면, 진작 말할 것을……. 늦은 감이 없지는 않지만 진실을 말하겠어요. 당신 곁에 있는 로저 칠링워스라는 의사는 예전에 저의 남편이었어요."

헤스터는 거의 울부짖듯이 로저 칠링워스의 신분을 밝히고 말았다. 그 순간, 목사의 얼굴은 이제까지 볼 수 없었던 무서운 얼굴로 변했다. 그녀는 혹시 그가 심한 분노로 쓰러지지나 않을까 하고 걱정되었다. 하지만 목사는 점점 자신의 본래의 성품으로 돌아오고 있었다. 마치 자신이 저지른 죄의 대가를 받는 것은 당연하다는 표정이었다. 그리고는 이내 두 손으로 머리를 감싸쥐고, 떨리는 목소리로 흐느끼기 시작했다.

"아, 내 마음이 그토록 혼란스럽지만 않았더라면, 그 정도는 충분히 알 수 있었을 텐데. 어쩐지 그 남자가 내 곁에 있을 때면, 왠지 모르게 가슴이 답답하고 미칠 것 같았어. 헤스터, 당신은 내게 무슨 짓을 한 거야? 죄의 고통 속에 있는 나를 발견한 그 남자의 통쾌함은 어땠을까? 난 그것도 모르고 그 사람의 장난감이 되곤 했다니. 당신도 그자와 한패가 되어 나를 궁지로 몰아넣었단 말이오?"

목사는 의사보다도 헤스터를 용서할 수 없다는 듯이 거세게 그녀를 몰아붙였다.

"부디 용서해 주세요. 일부러 당신을 궁지에 몰아넣기 위해서 그런 것이 아니에요. 당신도 그걸 잘 알고 있을 거예요. 내가 저지른 일의 벌은 하느님에게 받겠어요. 하지만 당신의 용서를 먼저 받고 싶어요."

헤스터는 목사의 가슴속으로 파고들어 그를 놓아주려고 하지 않았다. 다시는 그의 얼굴을 볼 수 없을 것 같았다.

7년이라는 세월 동안 모든 사람들의 차가운 눈길과 비웃음을 받았을 망정 그녀는 결코 주눅 들지 않았다. 하지만 자신을 이해할 수 있으리라 생각했던 단 한 사람으로부터도 버림을 받는다면, 도저히 더 이상 살아갈 자신이 없었다.

"절 용서한다고 말씀해 주세요. 그리고 그렇게 무서운 얼굴로 저를 바라보지 마세요. 저는 그렇게 강한 여자가 아니에요. 제발……."

헤스터는 매달리다시피 그에게 애원했다.

"용서할게, 헤스터. 내게 그럴 자격이 남아 있다면 말이야."

목사는 너무도 허탈한 목소리로 대답했으나, 조금 전까지 그녀에게 느꼈던 분노는 없어진 것 같았다.

"헤스터, 하느님께 우리들의 죄를 부디 용서해 달라고 진심으로 기도드립시다. 우리들보다 더 악랄한 사람도 있으니까, 다른 사람의 마음은 짓밟지 않은 우리들의 죄는 용서해 줄지도 모르겠어."

"당신 말이 맞아요. 벌써 지난 일이긴 하지만 우리들은 그 나름대로 진실한 마음이 있었어요. 이런 이야기를 나누었던 적이 제 기억에 아직도 남아 있는걸요."

헤스터의 말에 목사는 별안간 벌떡 일어서며 외쳤다.

"이제 그만 하시오! 당신이 말하지 않아도 나도 그 때 일을 잊어버린 건 아니오. 하지만 이제 와서 그게 무슨 의미가 있겠소?"

목사는 다시 나무 그루터기에 털썩 주저앉으며 한동안 말이 없었다. 그들의 주위는 깊은 숲 속처럼 어두웠다. 하지만 두 사람은 얼른 마을로 돌아갈 생각을 하지 않았다. 왠지 이 순간이 마음이 편안하고 안정이 되었다.

'이 곳을 벗어나면 헤스터는 다시 죄인과 같은 생활을 해야 하고, 나는 거짓된 명성을 얻기 위해 나 자신을 감추지 않으면 안 되겠지.'

그러나 이 곳에서는 두 사람 모두 가면을 벗고 자신의 진심을 마음껏 이야기해도 좋았다. 숲의 잔잔한 바람 소리도 몹시 기분이 좋았다.

잠시 침묵이 흐른 뒤, 다시 목사가 말문을 열었다.

"앞으로 우리들의 운명은 어떻게 될까? 로저 칠링워스가 당신이 내게 그의 신분을 밝힌 사실을 안다면, 이대로 가만있지 않을 텐데. 앞으로 그는 내게 어떻게 변한 모습을 보이며 다가올까?"

헤스터는 잠시 생각에 잠기는 눈치였다.

"아마, 크게 걱정하지 않아도 될 거예요. 그 사람이 여러 사람 앞에서 우리들의 비밀을 떠들어 대지는 않을 테니까. 그는 타고난 성질이 어두운 구석을 좋아하는 면이 있어서, 새로운 방법을 찾으려고 할 거예요."

"만약 그렇다면 그와 함께 부딪치며 생활해야 하는 나는, 앞으로 그를 어떻게 대해야 할지 모르겠어."

목사는 늘 초조한 심정이 되면 자신의 가슴에 손을 갖다 대는 버릇이 있었다. 그는 자신의 가슴을 꼭 쥐고 애절한 눈빛으로 그녀를 바라다보았다.

"당신은 나보다 강하니까 방법을 알 수 있을 거야. 대답해 줘."

"앞으로 그 사람과 함께 사는 일은 그만둬요. 더 이상 저 사람에게 당신의 속마음을 보여 주지 말아요."

"하지만 어떻게 그의 눈길을 피하지? 난 어떻게 해야 하는 거야? 아, 이 자리에서 그냥 죽어 버리고 싶은 심정이야."

목사는 자신의 앞날이, 이전보다 더 심한 고통으로 얼룩져 있다는 걸 깨닫는 순간 살아갈 용기가 나지 않았다.

"당신은 정말 많이 약해지셨군요. 어째서 하느님도 건드리지 않는 당신의 목숨을 통째로 내놓으려는 거지요?"

"아니, 그건 당신이 몰라서 그러는 거요. 이미 하느님은 그 사람을 통해서 나에게 최후의 심판을 내릴 준비를 하고 계신 것이오."

늘 양심적인 생활을 해 왔던 목사는 그렇게 확신하고 있었다.

"그렇지 않아요. 하느님은 너그러우신 분이에요. 당신이 그걸 바란다면 분명 들어주실 거예요."

"그렇군. 헤스터, 앞으로 내가 할 일을 가르쳐 줘."

목사는 마치 앞으로의 일을 모두 그녀에게 맡기겠다는 듯이 그녀의 대답을 기다렸다.

"당신이 살아야 할 곳이 이 곳만은 아니라는 걸 알고 있나요? 여기서 몇 마일만 벗어나도 백인들이 사는 곳을 피할 수 있어요. 그 곳에 가면, 당신을 이제까지 알고 있던 사람들의 눈에서 벗어나 자유로워질 거예요. 그 곳에는 당신의 마음과 육체의 고통을 없애 줄, 새로운 생활이 기다리고 있어요. 조금만 눈을 돌리면 무한한 세계가 펼쳐질 수 있는데, 왜 이 좁은 곳에서 고통의 세월을 보내고 있는 거지요? 당신이 두렵게 생각하는 로저 칠링워스의 악랄한 눈길을 피할 만한 곳은 얼마든지 있다는 걸 왜 모르시는 거죠?"

"흠, 그럴지도 모르지."

헤스터는 목사에게 조금 더 희망적인 이야기를 들려주었다.

"당신이 이 곳에 오실 때 바다를 건너온 것처럼, 바다를 건너가셔도 좋아요. 당신의 고향으로 돌아가거나, 이웃 나라로 삶의 터전을 옮길 수 있잖아요. 그 곳에는 로저 칠링워스의 손길이 닿지 않을 거예요. 게다가 당신이 두려워하고 있는 사람들로부터 헤어날 수 있어요."

"헤스터, 나는 이 곳에서 도망치고 싶은 생각은 없어. 죄인의 몸이긴 하지만, 아직 어리석은 사람들을 위해 할 수 있는 일을 해 주고 싶어. 언젠가는 내 죄의 대가를 그들로부터 받을 각오가 되어 있어. 하지만 지금은 목사라는 신분을 벗어 던지고 다른 세계로 가고 싶지 않아."

목사는 이 곳을 벗어나 본 적이 없었기 때문에, 헤스터가 말한 것은 마치 이룰 수 없는 꿈처럼 들렸다.

"그렇게 약해지시면 안 돼요. 새로운 세계를 향해 갈 때는, 당신이 지고 있던 모든 무거운 짐들은 버리셔야만 해요. 이 곳에서 일어난 일은 여기에 모두 두고 가면 그만이에요. 한 번의 실수를 평생 지니고 살아야 할 의무는 없어요. 이 세상에는 당신보다 훨씬 더 많은 죄를 짓고도, 아무렇지도 않게 살아가는 사람이 수도 없이 많다는 걸 잘 아실 거예요. 당신이 원한다면 인디언들의 전도사가 되는 것도 바람직할 것이고, 다른 직업을 가져도 상관없어요. 그래요, 딤스데일이란 이름을 버리고 학자가 되는 것도 좋겠군요. 이 곳에 남아서, 앞으로도 계속 당신 자신을 괴롭히고 학대할 건가요? 조금만 용기를 낸다면, 죽어 가는 생명의 불꽃을 활활 타게 만들 수 있어요."

헤스터는 자신이 가지고 있는 온 힘을 그를 위해 쏟아붓고 있었다.

"난 지금 내 몸을 지탱할 힘이 별로 없어. 새로운 세계로 뛰어들기에는 몸이 많이 지쳐 있단 말이야. 나 혼자는 아무것도 할 수가 없어!"

목사는 이제 자신의 약한 부분도 서슴지 않고 드러내고 있었다. 그에게는 손을 뻗으면 잡을 수도 있는 행복을 잡을 기력조차 없었다. 이제 누군가에게 의지하지 않으면 안 된다는 사실이 서글펐지만, 그녀 앞에서는 주저하지 않았다.

"나 혼자는 가지 않겠어!"

목사는 애원의 눈길로 그녀에게 구원을 청했다.

"제가 곁에 있겠어요."

펄의 아빠

목사는 희망의 불씨를 헤스터에게서 발견한 느낌이었으나, 불안한 마음이 완전히 가신 것은 아니었다. 확고한 그녀의 계획이, 잠시 그에게 어두운 길을 빠져 나갈 수 있는 지름길처럼 생각되었지만, 두려운 생각도 들었다.

그녀는 이전에 나약하게 생각했던 헤스터가 아니었다. 누구의 도움도 받지 않고 살아온 세월이 그녀를 그렇게 강하게 만들었는지도 몰랐다. 스스로 자신이 결정하고 나아간 길이 행여 어둠에 싸일지라도 겁먹거나 당황하지 않았다. 이 세상의 억압과 규칙 등을 포함하고 있는 주홍 글씨를 몸에 지니고 난 후부터, 오히려 그런 것들로부터 자유로워질 수 있었던 것이다.

주홍 글씨는 보통 여자들이 상상할 수 없는 새로운 정신 세계로 그녀를 이끌어 주었고, 그녀는 조용히 그것을 받아들였다. 그와는 반대로, 목사는 사회적인 제약에서 벗어날 줄 몰랐다. 목사의 신분에서 해서는 안 되는 일을 저지른 것 빼고는, 종교인의 임무를 성실히 지켜 왔다. 나약한 목사는 자신이 저지른 죄에서 헤어날 줄을 몰랐고, 게다가 사람들에게 용서를 구할 용기마저 없었다. 그는 이전보다 더욱더 수행을 함으로써 죄를 용서받고자 했으나, 시간이 갈수록 그의 마음은 더없이 괴롭기만 했다.

헤스터가 많은 사람들로부터 자유로운 생각을 하는 동안, 그는 더욱더 사회적인 제약 속에 자신을 가두려고 했다. 이 곳을 떠나서는 아무 곳에도 발붙이고 살아갈 수가 없을 정도로 그는 쇠약했던 것이다. 하지만 헤스터의 간곡한 부탁으로, 그녀의 말처럼 이 곳을 벗어날 수만 있다면, 죽어 가는 자신의 목숨을 살릴 수도 있다고 생각했다. 물론 그녀가 곁에서 그를 지켜 줄 때 가능한 일이었지만 말이다.

'아, 지난 세월 동안 내가 한시라도 마음이 평안했던 적이 있었다면, 이 곳을 떠나지 않아도 될 것이야. 하지만 이미 죽음을 앞둔 사람처럼 내 몸은 이제 꺼져 가는 희미한 등불과도 같아. 저 여자와 함께 새로운 생활을 찾아 이 곳을 떠난다고 하더라도, 아무도 내게 욕할 사람은 없겠지. 그 동안 나름대로 고통을 겪은 대가로 말이야. 아, 하느님. 부디 제게 올바른 길을 인도하시기 바랍니다. 이제 제게는 현명한 판단을 내릴 정신력도 없습니다.'

목사는 지난 세월을 되짚어 보며 명상에 잠겼다.

"분명히 이 곳을 떠날 결심을 하신 거죠?"

헤스터는 목사에게 다시 한 번 확인하려는 듯이 물었다. 지금 목사의 기분은 무언지 모를 흥분으로 들떠 있었다.

"아, 정말 새로운 인생의 즐거움을 맛볼 수가 있을까?"

그는 마치 감옥을 막 빠져 나온 죄수가 바깥의 신선한 공기를 들이마시는 기분처럼 주체할 수 없는 느낌이었다.

"내 인생에 기쁨과 흥분 따위는 벌써 사라져 버린 줄 알았는데. 헤스터! 당신이야말로 나를 구원해 줄 천사요. 살아 있는 기쁨은 모두 다른 사람들 몫이라고 생각했는데, 나에게도 이런 기회가 올 줄이야.

왜 조금 더 일찍 깨닫지 못했을까? 당신과 이야기를 나눌 시간을 가졌더라면, 이 지경에까지 이르지 않았을 텐데."

"목사님, 이제 지난날을 잊어버려요. 아픈 기억은 되도록 빨리 잊어버리는 게 서로를 위해서도 좋아요. 저도 한 가지 일을 결심했어요. 자, 보세요. 제 가슴에 이제까지 붙이고 다녔던 이 주홍 글씨를 떼어 버리겠어요. 과거를 잊겠다는 뜻이에요."

헤스터는 주홍 글씨를 떼어 멀리 던져 버렸다. 글자는 시냇가 근처에 떨어져 나부꼈다. 그녀는 긴 한숨을 내쉬었다. 마치 그 동안의 멸시와 노여움 등을 모두 떼어 버리려는 그녀의 작은 몸짓이었다. 그 다음에 그녀가 한 일은, 틀어올린 머리카락을 숨기고 있던 모자를 벗어 버리는 일이었다. 아직 아름다운 머릿결은, 마치 이런 순간이 오기를 기다렸다는 듯이 어깨 위로 찰랑대며 흘러내렸다.

그런 그녀의 얼굴에 화색이 돌았다. 오랜 세월 감춰 두었던 그녀의 매력이 한꺼번에 쏟아져 나오는 것 같았다. 창백하게 느껴졌던 두 볼이 수줍은 듯 빨갛게 달아올랐다. 주변의 어둠은 그들 자신의 마음에서 비롯된 것이었다. 이들의 마음의 변화를 알기라도 하듯, 어둡던 숲 속에 밝은 광선이 여기저기서 빛을 발하기 시작했다.

사랑하는 마음이란 자신들뿐만 아니라 주변의 환경도 함께 변화시키는 대단한 힘을 발휘하는 모양이었다. 그게 아니라면, 그들 자신이 그렇게 느끼고 있기 때문에 달라 보이는지도 모를 일이었다. 그들에게 이 숲 속은 더 이상 자신들의 초라한 몸을 숨기기 위한 어두운 그늘이 아니었다. 더 나은 미래를 위한 휴식처였다.

헤스터 역시 기쁨에 충만해서 목사를 바라다보았다.

"펄을 기억하시겠죠? 앞으로 그 애와 친해지도록 하세요. 우리들의 아이를 위해 좀더 노력을 해야 할 거예요. 펄은 보통 아이와는 달라서 신경 쓰지 않으면, 좀처럼 알 수 없는 아이가 되어 버리고 말아요."

"노력해 보겠지만 펄이 나를 좋아할까?"

목사는 펄의 이야기가 나오자 잠시 머뭇거렸다.

"그 동안 아이들과는 통 사귀어 보지를 못해서 말이야. 교회의 아이들은 나와 친하게 지내는 것을 별로 좋아하지 않는 것 같아. 그런데 펄이 평범한 아이가 아니라고 하니까 은근히 걱정이 되는걸."

"그랬군요. 하지만 펄은 전에도 당신을 몇 번 본 적이 있으니까 그런 걱정은 마세요. 그럼 펄을 불러올게요. 이 근처에서 멀리 가지 말라고 일러 두었으니까 가까운 곳에 있을 거예요."

그녀는 자리에서 일어나 펄을 향해 고함을 질렀다.

"펄! 펄!"

"저 아래 시냇물 근처에서 놀고 있는 아이가 펄 같군. 흠, 저 아이가 나와 친구가 되려고 할까?"

햇볕을 받으며 놀고 있는 펄의 모습은 마치 한 마리의 작은 새 같았다. 엄마가 부르는 소리를 들은 펄은 곧 숲을 지나 천천히 걸어왔다. 아이는 엄마가 목사님과 진지한 이야기를 나누는 동안, 혼자서 시간 가는 줄도 모르고 재미있게 놀고 있었다. 숲은 어른들에게는 나름대로 여러 가지 의미가 있겠지만, 아이들에게는 최고의 놀이터였다. 비둘기와 나뭇가지에서 본 다람쥐도 아이의 친구가 되었다. 특히 다람쥐란 놈은, 자기가 먹던 나무 열매를 펄의 머리 위로 던져 놓고는 잽싸게 달아나 버렸다.

펄은 자신이 살고 있는 오두막집 근처에 있는 숲 속보다 이 곳이 훨씬 마음에 들었다. 처음 본 꽃들을 뜯어 한아름 꽃다발도 만들었다. 펄은 꺾은 꽃을 가지고 머리에는 화관을 만들어 얹고, 목에는 꽃 목걸이를 걸고, 허리에는 나뭇잎으로 엮은 허리띠를 둘렀다. 마침 엄마에게 자랑을 하려던 펄은, 엄마 곁에 있는 목사님을 바라보고는 천천히 걸어왔다.

"내 딸이지만 정말 예뻐요. 어머, 꽃으로 장식을 만들어 온몸에 걸고 있군요. 이 세상에 있는 온갖 보석으로 장식을 했다고 하더라도, 저만큼은 예쁘지 않을 거야. 잘 보세요. 저 아이의 이마가 누굴 닮았는지?"

헤스터의 기쁨에 들뜬 목소리와는 달리, 목사의 말소리는 가라앉아 있었다.

"당신은 모를 거야. 저 아이가 나를 얼마나 당황하게 만들었는지. 저 아이가 태어난 후로, 난 내 모습이 저 아이에게서 발견될까 봐 항상 조바심이 났지. 혹시라도 사람들이 그걸 발견하게 되면 어떻게 될까 하는 생각을 했었지. 하지만 다행히 펄은 당신의 모습을 많이 닮았어."

그녀는 지금 목사가 하는 고백이 우습게 들렸다.

"앞으로 시간이 좀더 흐르면 저 애가 누구라는 걸 알 수 있을 거예요. 하지만 더 이상 사람들의 시선을 두려워할 필요는 없어요. 아, 저 애는 내가 봐도 정말 아름다워요. 마치 숲 속에 사는 요정이 이리로 걸어오는 것처럼 느껴져요."

그들은 자신들의 딸이 천천히 다가오는 것을 보고 묘한 기쁨을 느꼈다. 항상 아빠의 자리는 비어 있었는데, 지금은 그렇지 않았다. 엄마, 아빠의 입장에서 그들의 딸을 맞이하려고 기다리고 있었다. 그들이 덮어두고 싶어했던 비밀스런 일이 펄을 통해 세상에 알려지게 된 것이었다. 펄은 두 사람을 연결하는 고리의 역할을 하고 있었다. 펄은 그들에게는 자식 이상의 여러 가지 의미가 있는, 소중한 아이였다. 헤스터는 새삼 펄에게서 감사의 마음을 느꼈다.

"펄을 만나도 처음부터 너무 강한 애정은 보이지 말아 줘요. 저 아이는 심술쟁이니까 이유 없이 화를 내기도 하고, 엉뚱한 이야기를 꺼내 사람들을 당황하게 하기도 해요. 그리고 아무런 이유 없이 다른 사람들로부터 동정을 받는 것은 더욱더 싫어해요. 하지만 자신의 마음에 들기만 하면, 변함이 없을 정도로 깊은 애정을 준답니다. 당신도 틀림없이 저 애를 사랑하지 않고는 배기지 못할 거예요."

목사는 헤스터에게 살짝 귓속말을 했다.

"당신은 상상할 수도 없을 거요. 내가 이 순간을 얼마나 기다려 왔는지. 물론, 두려운 마음이 앞서는 것은 사실이지만……. 난 아이들과 어떻게 친해져야 하는지 그 방법을 몰라. 다가가려 하면 이상하다는 듯이 멀리 도망가기 일쑤였어. 갓난아기를 안고 얼러 준 적이 있었어. 그런데 아기는 갑자기 전기에 감전된 것처럼 큰 소리로 울어 나를 당황하게 만들었지. 하지만 펄은 나와 몇 번 마주칠 적마다 붙임성 있게 대해 주었어. 하지만 오늘은 또 다른 기분이 드는걸."

"처음엔 조금 서먹한 기분도 들겠지만, 시간이 지나면 괜찮아질 테니 염려하지 마세요. 펄은 활달한 아이니까."

펄은 그들이 앉아 있는 나무 그루터기 맞은편의 냇가 근처에서 꼼짝도 하지 않고 서서 헤스터와 목사를 바라다보았다.

아이가 멈추어 선 곳에 있는 냇물에 펄의 모습이 그대로 비치었다. 그 모습은 마치 이 세상 사람 같지가 않았다. 아이는 엄마가 있는 곳으로 건너오려고 하질 않았다. 목사와 함께 있는 모습이 낯설어 보이기 때문인지, 아니면 이제껏 한 번도 보지 못한 이상한 것이라도 보았는지 알 수가 없었다.

'펄이 왜 저렇게 꼼짝도 하지 않고 서 있지? 목사님을 처음 본 것도

아닌데. 마치 나를 바라보는 눈빛이 낯선 사람을 대하듯 하네.'

굳은 듯 서 있는 펄의 눈이 점점 어두워지는 것처럼 느껴졌다. 하지만 펄의 입장에선 그렇지 않았다. 지금 바라보고 있는 엄마의 모습은, 이제까지 늘 자신의 곁에만 있어 주던 그런 모습이 아니었다. 자신이 있어야 할 자리에 목사라는 사람이 들어와 있는 걸 확인한 순간 어찌할 바를 몰랐던 것이다.

'어쩌지? 엄마가 부르는 대로 가야 할까? 아니면 목사님을 내쫓고 엄마의 옆자리에 앉아야 할까?'

펄은 비록 어린아이였지만 엄마와 단둘이 산 세월이 길었기 때문에, 이런 생각이 들었던 것이다.

"내 생각이 틀렸을지 모르겠지만, 펄이 건너오지 않고 있는 저 시냇물이 경계선이라는 느낌이 드는군."

"경계선이라니요?"

"눈에는 보이지 않지만, 두 개의 세계를 갈라 놓고 있다는 말이지. 저 아이가 저 곳을 건너오지 않으면, 다시는 만날 수 없을지도 몰라. 아니면 어떤 힘이, 저 아이가 이 곳으로 오는 것을 방해하고 있을지도 모르겠군. 자, 다시 한 번 아이의 이름을 부르도록 해. 어서 이 곳으로 뛰어오라고 말이야."

헤스터는 목사의 이야기가 그럴듯하게 들렸다.

"펄, 어서 이리로 건너오렴. 엄마 옆에 앉아 있는 분은 너도 알다시피 딤스데일 목사님이야. 엄마의 친구지만, 너에게도 좋은 친구가 되어 주실 거야. 너에게 엄마 이상으로 잘해 주고 예뻐해 줄 테니, 망설이지 말고 어서 그 냇물을 폴짝 뛰어넘어 이리 오렴."

하지만 엄마의 다정한 설득에도 불구하고, 펄은 동그란 두 눈을 깜빡이며 아무런 대답도 하지 않은 채 그 자리에서 움직일 줄 몰랐다. 펄은 엄마의 눈을 바라다보다가 이내 목사에게로 시선을 돌리며 자신이 모르는 무언가를 알아내려고 했다.

목사는 펄과 눈이 마주치자, 늘 하던 버릇대로 순간적으로 손을 가슴으로 가져갔다. 마치 자신의 비밀을 아이가 알아채기라도 한 듯이.

하지만 펄은 이내 목사에게서 눈을 돌려 버리고 다시 엄마의 가슴을 집게손가락을 들어 가리켰다.

그 모습 역시 냇물에 비쳐 이상한 느낌이 들게 했다. 헤스터는 더 이상 펄이 하는 대로 두고 볼 수가 없어 크게 소리를 질렀다.

"오늘 왜 그렇게 딴청을 부리고 있니? 평소에는 이런 일이 없었잖아. 어서 엄마에게 오지 못하겠니!"

펄도 역시 기분이 좋지 않다는 듯이 이마에 주름살을 지으며 인상을 찌푸리고 있었다. 그리고 자신의 마음을 이해하지 못하고 소리치는 엄마를 향해 발을 동동 구르며 짜증을 내고 있었다.

"당장 냇물을 건너오지 않으면 정말로 화낼 테야!"

헤스터는 펄의 성격을 나름대로 이해하고 있었지만, 목사님 앞에서 이런 행동을 보인다는 것이 창피했다.

"펄, 어서 건너오라고 했잖아! 그럼, 엄마가 그리로 갈 테니 기다려."

그러자 펄은 더 이상 견딜 수 없다는 표정으로 온몸을 흔들며 마구 소리를 질러 댔다. 아이의 목소리는 메아리가 되어 숲 속 여기저기로 울려 퍼졌다. 펄의 손은 여전히 헤스터의 가슴을 가리키고 있었다. 아이는 자신이 심술을 부리고 있는 것이 아니라는 것을 알아주기를 바라고 있는 것 같았다.

'아무래도 이상한데. 처음엔 목사님이 내 곁에 있어서 낯설어서 저러는 것이라고 생각했어. 하지만 그런 것이 아닌 것 같은데.'

헤스터는 여러 가지로 생각해 보았다. 그리고 펄이 손으로 무엇을 가

리키고 있는지를 곰곰이 헤아려 보았다.

"아, 알겠어! 저 아이가 왜 저렇게 발을 동동 구르는지 이제야 알 것 같군요. 어린아이들은 늘 보던 물건이 없어져 버리면 불안감을 느끼게 되죠. 펄은 내가, 조금 전 떼어 낸 주홍 글씨가 보이지 않아서 그러는 게 틀림없어요."

그녀는 목사를 돌아다보며 펄의 철없는 행동을 이해시키려 했다. 목사는 쓴웃음을 지으며 한 마디 했다.

"그렇다면 어서 저 애를 안심시켜 주도록 해. 펄은 지금 왠지 불안하고 어색할 거야. 당신이 제발 저 애를 진정시키도록 해."

그녀는 자신도 모르게 긴 한숨이 흘러나왔고, 다급해진 얼굴로 펄을 향해 소리 질렀다.

"펄! 네 발 아래를 내려다보렴. 시내의 이쪽을 쳐다봐!"

아이는 엄마가 가리키는 곳을 향해 머리를 돌려 그 곳을 보았다. 거기에는 주홍 글씨가 냇물에 닿을 듯이 떨어져 있었다.

"그걸 주워서 이리로 가지고 오너라."

"싫어. 엄마가 내게로 오면 함께 가지고 갈 거야."

"휴, 도대체 너란 아이는 정말 알 수가 없구나. 그럼 조금만 기다리거라. 엄마가 갈 때까지 말이야."

헤스터는 펄이 있는 곳으로 가기 전에 목사에게 슬픈 얼굴로 말했다.

"아직은 주홍 글씨를 떼어 낼 수 없나 봐요. 우리가 이 곳을 떠나는 날까지 붙이고 있어야 한다는 걸 저 애가 가르쳐 줬어요."

그녀는 뒤돌아서서 시냇가로 가서, 버렸던 주홍 글씨를 다시 주워들었다. 조금 전까지 자신의 족쇄를 풀어 버린 듯 자유로웠으나, 다시금 그것을 가슴에 붙일 수밖에 없었다. 주홍 글씨가 그녀의 가슴 위에서 빛을 발하자 그녀는 다시 어둡고 쓸쓸한 예전의 모습으로 돌아가 있었다.

"이제 엄마에게로 오렴. 네가 원하는 이 주홍 글씨를 다시 붙여 놓았으니까, 걱정하지 말고 이리로 오너라."

"알았어. 지금 당장 엄마에게 갈게."

아주 그 곳에서 움직일 줄 모르던 펄은, 순식간에 냇가를 뛰어넘어 그녀의 따뜻한 품으로 달려들었다.

"이제 우리 엄마가 맞는 것 같아. 틀림없는 우리 엄마야!"

펄은 예전과는 달리 마치 오랜만에 엄마를 만난 것처럼, 엄마의 뺨과 이마에 입을 맞추었다. 그리고는 장난처럼 주홍 글씨 위에도 뽀뽀를 했다.

"엄마, 저 목사님은 왜 저기에 있는 거야?"

"이제까지 너를 만나 보고 싶어서 기다리고 계신 거야. 목사님은 펄을 매우 좋아하셔. 엄마도 역시 사랑하시고 말이야. 자, 어서 가자."

"우리들을 사랑하신다고? 그럼 집으로 돌아갈 때도 우리와 함께 손을 잡고 마을로 들어갈 거야?"

"펄, 조금만 기다려. 앞으로 목사님이 너와 함께 지낼 시간이 많아질 거란다. 이야기책도 읽어 주시고, 놀아 주기도 하실 거란다."

"그걸 어떻게 믿어? 저번에 광장에서 목사님과 함께 있었던 날에도, 내 약속을 지켜 주지 않았는걸."

펄은 다시 뾰로통해지면서 심술을 부렸다. 헤스터의 손에 이끌려 목사 앞에 선 펄은 반갑게 그를 맞지 않았다. 엄마의 옷자락에 붙어 서서 목사의 손이 닿을라치면, 잽싸게 뒷걸음질을 쳐서 엄마 뒤로 숨어 버리는 것이었다. 그리고 여러 가지 찡그린 표정을 지으면서 목사를 당황스럽게 만들었다.

'나를 좋아하는 것 같지 않군. 어떻게 해야 하나? 옳지, 아이의 볼에 살짝 입을 맞추면 좀더 친근해질지 몰라.'

목사는 허리를 굽혀 펄의 이마에 입을 맞추었다.

"앗!"

펄은 순간적으로 당한 일이라 거부할 수 없었다. 아이는 자신이 표현할 수 있는 기분 나쁜 표정을 있는 대로 다 짓고는, 시냇가를 향해 뛰어갔다. 아이는 냇가에 쭈그리고 앉아, 방금 전 목사가 입을 맞춘 흔적을 깨끗이 지우겠다는 마음으로 이마를 씻어 냈다. 그리고 몸을 돌려 엄마와 목사를 바라다보았다.

목사 역시 펄의 그런 행동이 언짢았지만, 어린아이의 천진함으로 이해하려고 했다. 다시 헤스터와 앞으로의 일을 의논했다. 대강 의논을 한 그들은 다음 날을 약속하고 그만 헤어지기로 했다. 목사가 먼저 자리에서 일어나 헤스터와 펄에게 작별 인사를 했다.

"펄, 그럼 다음에 다시 만나자."

"……."

상냥한 목사의 인사에도 불구하고 펄은 아무런 대답도 하지 않았다. 그는 헤스터에게 가벼운 인사를 한 후, 앞서서 마을을 향했다. 목사는 앞서서 가다가 고개를 돌려 그들을 보았다. 헤스터와 아이는 자신이 떠나온 그 자리에 아직도 움직일 줄 모르고 서 있었다.

'아, 조금 전까지 있었던 일이 꿈은 아닐까? 지친 내 영혼이 잠시 쉬었다가 온 것일까? 그럴 리가 없어. 저기 새처럼 작은 아이가 아직도 팔짝팔짝 뛰고 있는걸.'

그는 조금 전에 세운, 이 곳을 탈출하는 계획을 머릿속에 그려 보았다.

'그래, 아무래도 사람들이 많고 도시가 잘 발달된 유럽 쪽이 뉴잉글랜드나 미국의 다른 고장보다 훨씬 좋을 것 같군.'

그가 적당한 일을 찾기에도 문명이 잘 발달된 곳이 알맞을 거라고 헤스터와 나눈 이야기가 떠올랐다. 게다가 이렇게 결정한 또 다른 이유는, 배 한 척이 항구에 들어와 있다는 소문을 들었기 때문이었다. 이 배는 카리브 해의 연안 부근에서 들어온 것인데, 이 곳에서 사흘쯤 머문 후에 다시 브리스틀을 향해 출발한다는 것이었다.

평소 봉사 활동을 활발히 해 온 헤스터는, 그 배의 선장과 안면이 있었다. 그녀는 목사를 만나러 오기 전에, 혹시나 하는 마음으로 선장에게 부탁을 해 두었다.

"이 배에 자리가 있다면, 어른 두 명과 어린아이 한 명을 태워 주실 수 있는지 알고 싶은데요?"

"난, 누군가 했네. 헤스터 부인이로군. 그 동안 우리에게 베풀어 준 친절을 생각해서라도 당연히 자리를 마련해 드려야지요."

“그럼 언제쯤 이 곳을 떠나지요?”

“글쎄요. 삼사 일쯤 뒤로 예정하고 있습니다만…….”

목사는 헤스터로부터 배가 떠나는 날짜를 듣고는 혼잣말처럼 중얼거렸다.

“잘됐군.”

그가 이렇게 말한 이유는 앞으로 사흘 후쯤 총독 부임 축하 설교를 맡았기 때문이었다. 이것은 그에게는 더없는 영광이었다. 그 동안의 성직 생활을 정리하기엔 좋은 기회라고 여겼다.

‘이제 앞으로 이 일을 그만두더라도 마지막까지 잘 끝내고 떠나고 싶다. 나중에 혹시 아는 사람을 만나더라도 내 일에 소홀함이 없었다는 걸 말하고 싶어.’

숲 속을 나와 집으로 돌아가는 그는 새로운 희망으로 가슴이 부풀어 올랐다. 평소의 그답지 않게 기운찬 발걸음으로 힘차게 걸어갔다. 사람들이 다닌 흔적이 없는 험한 산길을 쉬지 않고 걸으면서, 며칠 전에 이 길을 걸어가던 때와는 달라진 자신을 발견할 수 있었다.

눈앞에 마을이 점점 가까이 다가오자, 그는 왠지 그 곳이 낯설어 보였다. 이 곳을 떠난 것이 어제가 아니라 마치 몇 달, 아니 몇 년 전의 일 같았다. 마을 어귀에 들어서 사람들이 모습을 나타나자, 그런 느낌은 더해만 갔다. 겉모습은 달라진 것이라곤 없는데, 어제의 그 사람들이 아니었다. 교회의 담 밑을 지나쳐 갈 때도 그 곳이 매우 낯익은 것 같으면서도 낯설어 보였다.

‘내가 지금 꿈에서 깨지 않은 걸까? 아니면, 이 곳이 달라져 있는 걸까?’

이러한 일은 목사 자신의 문제에서 비롯된 것이었다. 예전의 건물과 사람들은 그대로인 것이 분명한데, 숲 속에서 나온 그의 마음속에서 일어난 변화 때문이었다. 그가 만일 친구들을 만난다면 주저 없이 이렇게 말할 것이다.

"나는 많이 달라졌어. 어제의 내가 아니야. 너희들이 생각하는 이전의 나는 깊은 숲 속에 내던져 버렸어. 바싹 바른 몸과 핏기라곤 찾아볼 수 없을 정도로 창백한 얼굴, 고통스러운 마음은 이제 남아 있지 않단 말이야."

목사는 자신의 변화를 여러 사람들에게 알려 주고 싶었다. 마침 교회 집사 한 사람을 만날 수 있었다. 평소 마을 사람들의 신임을 얻고 있는 노인은, 교회 안에서 목사에게 아버지와 같은 애정을 가지고 대해 준 사람이었다.

"어떻게 잘 지내셨나요?"

"아, 딤스데일 목사님이로군요. 가셨던 일은 잘 마무리가 되었나 보군요. 기분이 매우 좋아 보이는데요."

"물론입니다. 그런데 성찬식에 대한……."

목사는 갑자기 자신을 억제하여 입을 다물어 버리고 말았다. 그는 어제와는 달라진 자신의 모습을 보여 주기 위해, 성찬식에 대한 불만을 털어놓으려고 했다.

'내가 왜 이럴까? 마음속에 있는 모든 불손한 것을 내뱉으려고 하질 않나?'

불안한 마음 한구석에선 만약 자신이 그런 말들을 마구 지껄였을 때, 저 사람의 놀란 모습을 생각하니 통쾌하고 우습기까지 했다. 그런 생각을 하며 나이 든 집사와 간단히 인사를 나누고, 다시 집을 향해 걸음을 옮겼다. 그가 다음에 만난 사람은 젊은 여신도였다.

이 여신도가 자신이 지나가는 길목에 마침 나타난 것은 아마도 악마가 시킨 일인지도 몰랐다. 여인이 점점 자신에게로 다가오는 것을 본 목사는 다시 한 번 짓궂은 장난이 머릿속에서 떠올랐다.

'저 여인은 나를 매우 존경하고 있는 사람들 중의 한 사람이지. 내 말이라면 아마 악의 이야기라도 믿을걸. 흠, 어떻게 골려줄까? 그래, 여자들이란 본래 백 마디 말보다 한 번의 표정에 더 큰 상처를 입게 되지.'

목사는 곧 그 젊은 여신도가 다가와 인사를 하려고 하자, 못 본 척 쌀쌀맞은 태도를 보이며 그 앞을 지나쳤다.

"어머!"

앞서 가던 목사의 귓가에 여신도의 짧은 외마디 소리가 들려왔다. 성공이었다. 그가 뒤돌아보지 않았지만, 그녀는 틀림없이 기가 막혔을 것이다. 아마도 존경하는 목사님께 자신이 잘못한 일이라도 있었나 하고 이리저리 머리를 굴려 생각할 것이다.

목사는 이제 이런 일에 재미를 붙일 정도였다. 길가의 어린아이들에게 나쁜 욕이라도 가르쳐 주고 싶었다. 술에 취해 비틀거리며 지나가는 선원을 붙잡고, 이제까지 입에도 담지 못했던 욕을 퍼붓고 싶었다. 이런 그의 심정을 억누를 수 있었던 것은, 이제까지 굳어져 온 성직자로서의 생활이 몸에 배어 있었기 때문이었다. 그는 갑자기 이런 생각을 마구 해대는 자신이 미친 것은 아닐까 하고 자책했다.

'내가 어떻게 되어 버린 건 아닐까? 숲 속을 나오면서 내 영혼을 악마에게 팔아 버렸을지도 몰라. 이런 나쁜 생각들이 머릿속을 휘젓고 돌아다니는 것은 악마와의 약속을 실행하려는 것일까?'

목사가 이런 생각으로 자신을 나무라며 길을 가고 있는데, 히빈스 부인이 그에게 알은체를 했다. 마을 사람들로부터 마녀일지도 모른다는 평판을 듣고 있는 부인은, 좀체로 사람들과 인사를 하지 않는 것으로 알려져 있었다. 그 부인은 굳이 지나쳐 가려는 목사를 불러 세웠다.

"딤스데일 목사님!"

"아, 히빈스 부인이로군요. 그 동안 안녕하셨습니까?"

"목사님은 지금 어디를 다녀오시는 모양이군요. 혹시 숲 속이라도 갔다오셨나요?"

딤스데일 목사의 얼굴은 하얗게 질려 있었다.

"무슨 말씀입니까?"

"다음에라도 혹시 숲 속에 가실 일이 있다면 저에게 미리 말씀하세요. 잘 알고 있는 마왕님에게 당신을 잘 봐달라고 말해 드릴 테니."

목사는 혹시 이 부인이 자신과 헤스터가 만나는 장면을 목격한 것은 아닐까 하고 걱정되었지만, 태연한 얼굴로 말했다.

"혹시 내가 숲 속에 가는 일이 있더라도 마왕을 만나러 갈 일은 없을 것입니다. 난 인디언이 사는 곳에 파견 나간 엘리엇 전도사를 만나기 위해 마을을 떠났다가, 숲 속 길을 걸어 돌아온 것뿐이오."

"호호호, 왜 그렇게 긴장하고 계신가요? 그건 그렇다 치고, 그럼 깊은 밤중에 숲 속에 갈 일이 있다면 꼭 나와 함께 가도록 해요."

히빈스 부인은 할말을 다한 듯 목사를 지나쳐 가면서, 미묘한 웃음을 지어 보였다.

'그렇게 감추려고 해도 난 네가 조금 전에 한 일을 다 알고 있어.'

이런 마음을 가지고 기분 나쁜 눈으로 목사의 뒤를 쳐다보았다. 그 부인의 말대로, 목사는 숲 속에서 무슨 짓을 하고 나왔는지 알 수가 없었다. 목사는 처음으로 세상을 향해 반항을 하려는 움직임을 시작한 것이다. 그는 이 때까지 자신의 죄에 집착하여, 이른바 세상에서 말하는 나쁜 짓에 관심을 가지지 않았다. 하지만 지금 자신의 모습을 돌아다볼 때, 그도 역시 일반 사람들과 똑같은 양면성을 가지고 있었던 것이다.

히빈스 부인의 말대로 그는 숲 속에서 마왕을 만나고 나왔는지도 모를 일이었다. 숲 속에서 일어났던 일은 비록 짧은 시간이었지만, 그가 이 때까지 느껴 보지 못한 기분을 알게 해 주었기 때문에 아주 소중한 시간이었다.

어느덧 그는 보금자리가 있는 집으로 돌아왔다. 현관을 들어서서 자신의 방으로 들어간 순간, 그는 안도의 한숨을 내쉬었다. 낯익은 그의 물건이 그가 떠나기 전과 변함 없이 책상 위에 그대로 올려져 있었다. 창문 커튼이며 자신의 옷들도 그대로였다. 그는 책상으로 다가가, 자신이 쓰다 만 원고 용지를 집어들었다. 그것은 총독의 취임식 때 쓸 연설 내용이었다. 원고에 쓰인 글을 몇 자 읽어 내려가던 목사는 왠지 자신이 쓴 글이 낯선 느낌이었다.

마음을 달리 먹은 그에게 기존의 것은 모두 새로운 모습으로 느껴졌다. 물건들은 자신의 것이 틀림없었지만, 어쩐지 친근감이 느껴지지 않았다. 이렇게 살아온 자신이 한없이 어리석은 것 같게만 느껴졌다.

"똑똑똑!"

누군가가 그의 방문을 노크하는 소리가 들렸다.

"들어와요."

이내 그의 방문에 얼굴을 들이민 것은 다름 아닌 로저 칠링워스였다. 갑자기 목사의 얼굴이 굳어지며 자신의 손을 가슴에 갖다 댔다.

"목사님, 돌아오셨군요. 그래, 갔던 일은 잘 되었소? 아니, 얼굴색이 좋아 보이지 않는데. 이번 여행이 힘들었나 보군. 기운을 회복하기 위한 좋은 약초를 가지고 있는데, 좀 가져다 드릴까요?"

"괜찮아요. 그렇게까지 걱정하실 필요는 없소. 서재에서 벗어나 오랜만에 바깥바람도 쐬고 사람들을 만났더니 약간 지친 것 같소. 이제까지 선생의 도움으로 몸이 많이 회복되기는 했지만, 이제 약 같은 건 필요 없소."

의사는 목사의 단호한 말에 잠시 그를 뚫어져라 쳐다보았다. 아마도 그 동안 목사에게 무슨 일이 일어났는지 여러 가지로 생각하는 눈치였다.

'저 사람은 내가 어쩌면 헤스터를 만났을지도 모른다는 생각을 하고 있을 거야. 아니면 비슷한 낌새라도 눈치챘는지도 모르지.'

목사가 이런 짐작을 하는 동안 의사 또한, 목사가 이제 자신을 적으로 생각하고 있는지도 모른다는 생각을 했다. 두 사람은 이틀 전과는 다른 눈빛으로 서로를 경계하고 있었다. 딤스데일 목사에 대해 잘 알고 있다고 느꼈던 의사는, 이제까지 써 왔던 방법과는 다른 수법을 동원해야 달라진 목사의 마음속을 알아낼 수 있었다.

"이제 내가 지은 약이 필요치 않다는 말씀은 반가운 일이군요. 하지만 중요한 연설을 위해서는 오늘 치료를 받는 것이 좋을 것 같소. 온 마을 사람들이 목사님의 훌륭한 설교를 기대하고 있소. 혹시 해가 바뀌면 목사님께서 이 곳에 안 계실지도 모른다는 이야기들을 나누면서 말이오."

"그렇겠군. 아마 내년쯤이면 하느님 곁에 있겠군. 하지만 선생의 약은 지금 내 건강 상태로서는 더 이상 필요치 않을 것 같군요."

"목사님의 뜻이 정 그렇다면 그렇게 하시죠. 이제 치료를 받지 않아도 될 정도가 되었으니, 의사의 입장에서도 아주 흡족하오. 목사님의 병이 전보다 좋아졌거나 완전히 나은 것이라면 아주 반가운 일이오."

목사는 그 동안 의사의 치료에 감사하다는 말을 잊지 않았다.

"그 동안 여러 가지로 고마웠소. 많은 시간을 들여 내 곁에 있으면서 아낌없는 정성으로 치료해 주었으니 말이오. 당신의 친절에 기도로써 그 고마움을 전해 드리겠소."

"아니, 내가 오히려 고맙소. 사람들의 존경을 한몸에 받는 목사님의 기도는 아무에게나 해 줄 수 없는 귀한 것이지요. 그것은 하느님의 나라를 통과할 때 필요한 귀한 표지가 될 수 있지요."

로저 칠링워스는 비꼬는 말투로 이렇게 여운을 남기고는 목사의 방을 나갔다.

'저 사람이 내 곁에서 떨어져 나갈 수 있도록 말하기를 잘했어. 이제 다른 방법을 써서 나를 괴롭히겠지.'

방에 혼자 남게 된 목사는 갑자기 시장기가 느껴져 서둘러 하인을 불렀다.

"지금 배가 몹시 고프니 곧 식사를 준비해 주시오."

하인이 차려 온 밥상을 받은 목사는, 이제까지 볼 수 없었던 왕성한 식욕을 보이며 남김없이 먹어치웠다.

"아, 배불러. 이제야 살 것 같군. 이제 축하 원고를 써 볼까?"

그는 쓰다 만 원고 용지를 활활 타오르는 불 속에 집어던지고는, 새로운 기분으로 다시 써 내려갔다. 한 줄 쓰기도 어려웠던 설교 원고는, 펜이 가는 대로 술술 써졌다. 마치 자신의 머릿속에서 짜낸 것이 아니라, 어떤 힘이 불러 주는 대로 받아 적고 있다는 기분이었다. 결국 그날 밤을 새며, 이제까지와는 전혀 다른 원고를 완성하고는 만족한 듯 침대에 쓰러졌다.

뉴잉글랜드의 축제

총독이 새로 부임하는 날 아침이 밝아오자, 헤스터와 펄은 서둘러 아침식사를 하고 광장으로 나섰다. 그 곳은 이미 많은 사람들로 북적이고 있었다. 여전히 회색 옷을 입고 있는 헤스터였지만, 오늘따라 그녀의 표정은 전과는 달라 보였다. 물론 그것이 확연히 드러나지는 않았지만, 그녀를 유심히 보아 온 사람이라면 느낄 수 있는 그런 것이었다.

7년이라는 세월 동안 고뇌와 인내로 자신의 개성을 드러내지 않고 살아온 그녀는, 조금 있으면 승리의 손을 들게 되리라는 희망을 품고 있었다. 그녀는 마치 사람들을 향해 이렇게 이야기하는 것 같았다.

"앞으로 주홍 글씨를 달았던 여인은 볼 수 없을 테니, 마지막으로 잘 보시기 바래요. 이제 나는 당신들의 거친 눈에서 사라져 버릴 테니까. 이 주홍 글씨도 깊은 바다가 영원히 삼켜 버릴 거예요."

그녀는 자신의 욕망과 희망을 이 주홍 글씨 안에 가두어 둔 채로, 좀처럼 꺼내 볼 수 없었다. 아니, 사람들이 그렇게 만들어 놓고, 그녀에게 그렇게 하도록 강요했던 것이다. 언제나 그랬던 것처럼 헤스터와 대조적으로, 펄은 오늘도 사람들 눈에 띌 정도로 화려한 옷차림을 하고 있었다. 옷은 아이에게 너무나 잘 어울려서, 보는 사람으로 하여금 감탄의 소리가 나올 정도였다.

오늘은 경축일 겸 거리의 축제를 하는 날이라, 사람들은 어딘지 모르게 들떠 있었다. 펄 역시 어디에다 눈을 두어야 할지 모를 정도로 흥분해 있었다. 아이는 엄마 곁에서 손을 잡고 따라오는 것이 아니라, 여기저기를 기웃거리며 마치 한 마리의 새처럼 입으로는 연신 소리를 질러 대며 뛰어다녔다.

광장 가까이 이르자, 사람들의 물결로 발 디딜 틈이 없었다. 펄은 이제 완전히 제정신이 아니었다. 여느 때와는 다른 광장의 분위기는 아이에게 신기하기만 했다.

"엄마, 굉장해! 마을 사람들이 온통 이 곳으로 몰려온 것 같아. 오늘은 일을 하지 않기로 모두 약속한 모양이야. 저길 좀 봐! 대장간 아저씨가 오늘은 멋지게 차려 입고 나왔는걸. 저기 간수 할아버지가 날

보고 웃고 있어. 무슨 뜻이지?"
펄은 흥분된 목소리로 소리쳤다.
"네가 아기였을 때부터 봐 왔기 때문이야."
"치, 간수 할아버지는 왠지 기분이 좋지 않아. 저런 사람이 나를 보고 미소짓는 것은 정말 싫단 말이야. 엄마라면 또 모를까. 엄마는 주홍 글씨를 달았고, 어두운 색의 옷을 입었으니까 괜찮을 거야."
펄의 투정에 헤스터는 미소만 짓고 있었다.
"아, 저길 좀 봐! 옷차림이 특이해. 그래, 언젠가 본 적이 있는 인디언들과 뱃사람들이야. 저 사람들은 이 곳에 왜 왔을까?"
"여기에 모인 사람처럼 행렬이 지나가는 것을 보려는 거야. 총독님과 높은 관리들, 그리고 목사님들이 멋진 악대와 군인들을 앞세우고 행진할 거야."
"정말이야? 그럼 숲 속에서 만났던 목사님도 이 곳에 오시는 거야?"
"당연하지. 하지만 그분이 너를 알은체하지 않을 테니, 섭섭하게 생각하지 마라. 너도 오늘은 그분에게 인사를 해서는 안 된다. 알았지?"
"그분은 참 이상해. 광장의 처형대 위에 서신 날에는 엄마와 내 손을 꼭 잡아 주셨어. 그리고 요전 날은 숲 속에서 엄마와 다정하게 이야기를 나누었지. 그 때 내가 원하지 않았는데도 내 이마에도 입을 맞추었어. 그런데 왜 사람들이 모이는 곳에서는 알은체를 하면 안 된다는 거야? 어두운 숲 속에서는 싫다고 해도 억지로 인사를 시켜 놓고는 밝은 곳에서는 인사를 해서는 안 된다니, 난 엄마와 목사님을 도무지 이해할 수가 없어."
중얼대던 펄의 목소리는 열기를 띠며 점점 더 커져만 갔다.
"쉿! 이제 그만 해라. 너는 아직 어려서 어른들 일을 모두 이해할 수 없어. 목사님 이야기는 더 이상 하지 말자. 자, 사람들을 둘러 봐. 오늘은 새로 온 총독님을 위해 축하를 하는 날이란다. 이제 가난하고 힘든 세상은 물러가고, 멋진 시대가 열리기를 기대하면서 함께 즐기는 거야."

헤스터의 말처럼 사람들은 모두 즐거운 표정이었다. 옛날부터 해 온 관습대로 청교도들은, 이 날만큼은 모든 기쁨을 이 곳에 모두 쏟아부었다. 이 날을 기념하기 위해 사람들은 가장 좋은 옷을 입고, 하루를 즐겨도 핀잔을 듣거나 눈치를 보지 않았다.

이 곳 사람들은 영국인의 후손으로, 이들의 조상들은 밝고 풍요로운 시대에 살았었다. 이들의 조상들은 화려한 행렬이나 여러 가지 행사를 여는 것을 즐기며 살았기 때문에, 아직도 이 곳 사람들에게는 그러한 습성이 남아 있었다. 오늘은 그 동안 열심히 일을 하느라 즐기지 못했던 파티를 여는 심정으로 웬만한 일은 신경 쓰지 않고 용서해 주었다.

이런 곳에 으레 나타나는 인디언들은 그 복장 자체가 사람들 눈에 띌 만큼 독특했다. 사슴 가죽으로 만든 긴 옷 위에 조개로 만든 허리띠를 두르고, 여러 가지 물감으로 얼굴에 칠을 하고, 머리에는 깃털을 꽂고 있었다. 인디언들보다 눈에 띄는 사람은 총독의 취임식을 구경하기 위해 나온 선원들이었다. 건장한 체격에 얼굴은 까무잡잡하고, 수염을 기른 모습으로 떡 버티고 있었다.

선원들은 늘 짧은 나팔바지를 즐겨 입었는데, 늘 큰칼을 옆구리에 차고 돌아다녀 사람들을 긴장하게 했다.

사람들은 그들이 나타나서, 이 마을에 정해진 규칙들을 마구 짓밟아 놓을 때는 황당한 얼굴로 멍하니 있었다. 예를 들면 관리 앞에서 담배를 함부로 피워 대거나, 병째로 술을 마시면서 지나가는 사람들에게 한 모금 마실 것을 권하는 것들이다. 선원들의 행동은 바다에서뿐만 아니라 육지에 와서도 거침없었다. 하지만 엄격한 이 곳 관리들도 그들을 제재하거나 벌주지 않았다.

그 당시에는 거친 바다와 싸우는 뱃사람에게, 인간들이 만들어 놓은 제약으로부터 해방의 면죄부를 주었을지도 몰랐다. 게다가 오늘은 총독의 취임식이라, 선원들의 거리낌없는 행동들을 너그러운 마음으로 봐주었다. 로저 칠링워스라는 유능한 의사가, 수상한 배의 선장과 이야기를 주고받으면서 이 곳에 나타나도 사람들은 놀라지 않았다.

선장은 확실히 선원들과 다른 모습이었다. 떡 벌어진 어깨에 당당한 발걸음으로 나타난 선장은, 금빛 휘장을 두른 모자를 쓰고 있었다. 허리에는 칼을 찬데다 이마에 나 있는 칼자국은 그가 우두머리임을 잘 드러냈다. 만약 이 곳에 사는 사람 중에 이런 옷차림과 혐오스런 얼굴로 마을을 지나가는 일이 있다면, 분명 군인들에게 체포되어 큰벌을 받게 될 것이다. 선장은 광장을 천천히 걸어다니다가 헤스터를 발견하고는, 그녀 곁으로 다가가 거리낌없이 말을 건넸다.

늘 그래 왔듯이 그녀가 서 있는 주변에는 사람들 그림자가 보이지 않았다. 비록 근처에는 사람들이 몰려 있더라도, 그녀가 있는 곳으로는 들어오려고 하지 않았다. 그녀 가까이 가게 되면 자신도 악마의 손길을 받을지도 모른다는 생각 때문인지도 몰랐다.

그녀는 많은 사람들 틈에서도 늘 고독을 느껴 왔다. 오랜 세월이 흐른 지금도 사람들은 그녀를 용서하고 존경하기까지 한다고 하지만, 여전히 그들과의 사이에는 보이지 않는 거리감이 있었다. 그러나 오늘만큼은 이런 공간이 그녀에게는 아주 훌륭한 역할을 하고 있었다. 헤스터는 선장과 개인적인 이야기를 나누면서, 다른 사람이 엿들을 수도 있다는 생각을 할 필요가 없었다.

게다가 사람들은 이제 헤스터가 누구와 이야기를 나누든지 간에 아무

런 의심의 눈길을 보내지 않았다. 아마도 오랜 세월 동안 그녀가 보여준 성실한 봉사 활동과 더불어, 수수하게 변한 그녀의 모습 때문일 것이다.

"헤스터 부인, 당신도 알고 있어야 할 것 같아서 드리는 말씀입니다만, 우리 배를 타고 갈 사람이 한 명 더 늘었소. 이번 항해에 괴혈병이나 장티푸스 같은 전염병이 돌 염려는 없지만, 이 곳에 있는 유능한 의사가 함께 가기로 했소."

그녀는 난데없는 선장의 말에 깜짝 놀라며 물었다.

"어머, 제가 말씀드린 사람 외에 또 다른 사람이 있나요?"

"예, 일이 그렇게 됐소."

헤스터는 잠시 마음을 가라앉히고 선장에게 꼬치꼬치 물었다.

"분명 우리 마을에 있는 유능한 의사 양반이라고 하셨죠?"

"그렇게 들었소. 이름이 로저 칠링워스라고 하는 사람이 당신들과 함께 우리 배로 여행을 하겠다고 하던데. 그럼, 모르는 사람이오? 당신과 함께 탈 사람과는 친구 사이라고 내게 말했소. 그 사람 말로는 그 친구라는 사람의 건강이 좋지 않아서, 자신과 함께 배를 타야 치료를 할 수가 있다고 하던데."

헤스터는 갑자기 밝은 미래에 어두운 그림자가 드리워지는 것을 느낄 수 있었다.

"그 사람 말이 맞아요. 두 사람은 지금도 함께 생활하고 있으니까."

그녀는 더 이상 선장에게 할말도 들을 말도 없었다. 잠시 침묵이 흐르는 사이, 그녀는 누군가가 자신을 바라보고 있다는 사실을 눈치챘다. 로저 칠링워스가 광장의 맞은편에 서서 기분 나쁜 미소를 짓고 있었다. 그 미소는 앞으로 일어날 일에 대한 간단한 표시였다.

그녀가 이 사태를 어떻게 처리해야 좋을지 망설이고 있을 때, 군악대

소리가 가까이에서 들려오기 시작했다. 곧, 그 뒤로 총독과 높은 관리들이 나타난다는 것을 알리는 소리였다. 잠시 후, 행렬의 선두에 선 군악대가 힘찬 발걸음으로 모퉁이를 돌아 광장으로 나왔다. 헤스터가 듣기에도 군악대의 연주 솜씨는 그리 훌륭한 것이 못되었다. 하지만 그 곳에 모인 사람들에게 강한 감동을 주는 것은 사실이었다.

"엄마, 저 소리 좀 들어 봐. 정말 굉장해!"

펄은 엄마의 옷깃을 끌어당기며 손뼉을 치고 좋아했다. 하지만 그것도 잠시뿐, 펄은 이내 시들해지고 말았다. 다시 군악대 뒤로 번쩍거리는 옷을 입은 의장대가 나타나자, 펄은 다시 환호성을 질렀다.

"와, 정말 멋있어!"

그들은 철갑으로 무장하고, 황금빛으로 번쩍거리는 투구 위에 새털을 꽂고 있었다. 연이어 높은 관리들이 그 뒤를 따르고 있었다. 아이들의 눈으로 본다면 별로 멋있어 보이지 않는 모습이었지만, 이 곳에 사는 어른들에게는 대단한 영향력을 끼치고 있는 관리들이었다.

드디어 헤스터가 기다리고 있던 사람의 모습이 나타났다. 그는 이 곳에서 촉망받는 젊은 목사인 딤스데일이었다. 그는 오늘 이 곳에서 축하 설교를 하기로 되어 있었다. 이 때는 목사라는 직분이, 높은 관리보다 사람들에게 더 큰 영향력이 있었다. 거의 숭배에 가까운 존경을 받고 있는 젊은 목사의 설교를 듣기 위해, 사람들이 이 곳에 모여 있다고 해도 틀린 말이 아니었다.

"오늘따라 목사님의 발걸음이 매우 활기차 보여!"

"맞아, 늘 어깨를 구부리고 쓰러질 것 같은 걸음걸이였는데, 오늘은 예전의 모습과는 달라 보여."

몇몇 사람들이 수군거리는 것처럼, 딤스데일 목사는 여느 때와는 다른 모습이었다. 오늘은 늘 가슴으로 가던 손도 제자리에 놓여 있었다.그러나 목사를 잘 알고 있는 사람의 눈으로 본다면, 결코 그에게 새로운 힘이 솟아난 것이 아니라는 걸 알 수 있었다. 정신력이라고 부르는 그것은 그의 육체적인 힘에서 비롯된 것이라고 할 수가 없었다. 일종의 흥분 상태에서도 자신이 이제까지 발휘한 것보다 훨씬 더 큰 힘이 생겨날 수가 있었다.

목사는 다른 생각에 빠져 있어서, 군악대의 큰 연주 소리도 그의 귀에는 들리지 않았다. 그의 몸은 그냥 걷고 있는 상태였다.

'난 지금 정신과 육체가 분리된 느낌이야.'

젊은 목사는 소리를 듣지 못할 뿐 아니라, 자신의 설교를 듣기 위해 그 곳에 모인 사람들을 쳐다보려고도 하지 않았다.

헤스터는 무심히 걷고 있는 목사의 모습을 바라보다가, 무언지 모를 운명의 손길이 자신을 덮쳐 오는 것 같은 느낌을 받았다. 그런 손길이 어디서 비롯된 것인지는 도무지 알 수가 없었다. 그는 이미 헤스터와는 모르는 사람이 되어 버려, 그녀의 손길이 미치지 않는 곳에 가 있다는 생각이 들었다.

쓸쓸한 숲에서 오래된 나무의 그루터기에 두 손을 마주 잡고 앉아, 두 사람의 미래에 대한 계획을 이야기했던 일이 생각났다. 그 때는 서로의 마음을 확인하고 있음으로 해서 행복한 순간이었다. 하지만, 지금 헤스터가 바라보고 있는 목사의 모습은 낯설어 보였다. 그는 이 화려한 행렬들과 함께 당당한 걸음걸이로, 이 곳에 모인 사람들의 환호를 받으며 지나가고 있었다. 그를 가까이하기엔 그녀가 너무나 초라해 보였다. 오늘에야 비로소 목사의 지위가 대단한 것임을 느낄 수 있었다.

'아, 내가 지금까지 꿈을 꾼 걸까? 저기 걸어가고 있는 목사는 나와는 도저히 어울리지 않은 사람 같아.'

그와 숲 속에서 나눈 이야기는 모두 그녀의 상상이었을지도 모른다고 여겨졌다. 왜냐하면 목사가 거추장스런 자신과 펄로부터 도망치고 있는 것은 아닐까 하는 생각이 들었기 때문이다. 헤스터는 그만 그 자리에 주저앉고 싶었다. 그녀가 그에게 내밀고 있는 구원의 손길을 냉정하게 뿌리치고, 점점 그녀에게서 멀어지고 있는 그림이 눈앞에 펼쳐지고 있었다. 사실 그녀에게는 지금 아무런 일도 일어나지 않았지만, 머릿속이 온통 불길한 생각으로 가득 찼다. 이런 느낌은 아이에게도 전염이 되었는지, 조금 전까지 들떠 있던 펄이 잠잠했다. 아이는 뒤따르던 행렬이 지나간 후에야 조심스럽게 입을 열었다.

"엄마, 궁금한 게 있어."

"뭔데?"

"저기 저 목사님 말이야. 내 이마에 키스해 준 분 맞아?"

"그래, 펄. 하지만 지금은 알은체해서는 안 돼. 엄마와 여기 오기 전에도 약속하지 않았니?"

하지만 펄은 고개를 갸웃거리며 의아해했다.

"이상해. 숲 속에서 본 목사님 얼굴이 아니야. 나에게 키스해 준 것처럼, 나도 오늘 목사님을 만나면 키스해 주려고 했어. 하지만 오늘은 전혀 다른 얼굴을 하고 계셔. 만약 내가 목사님에게 뛰어갔다면 나를 알은체했을까?"

"그건 엄마도 모르겠구나. 하지만 엄마가 사람들이 보는 앞에서는, 아직 목사님을 알은체해서는 안 된다고 주의를 줬잖아. 그래, 네가 이곳에서 소리를 지르지 않고 가만히 있어 준 것은 잘한 일이야."

그녀는 펄에게 대답을 해 주고는, 행렬의 뒤꽁무니를 무심히 바라보았다. 그런 그녀를 알은체하려는 사람이 있었다. 언젠가 목사에게도 알지 못할 말을 중얼거려서 목사를 당황하게 만들었던 히빈스 부인이었다. 그 부인은 황금으로 장식한 지팡이를 짚고, 취임식 축하 행렬을 구경 나왔다.

히빈스 부인 역시 사람들로부터 마녀일지도 모른다는 소리를 듣고 있었기 때문에, 사람들이 가까이하기를 꺼렸다. 이 부인은 자신과 비슷한 처지에 있다고 생각한 헤스터를 발견하고는 그녀 곁으로 다가갔다.

"저길 좀 봐, 히빈스 부인이 헤스터 곁으로 가고 있어."

"같은 처지에 있는 사람들이라 잘 어울리는군. 두 사람은 숲 속에 사는 마왕의 이야기와 마법에 관한 일을 이야기하는 것 같아."

사람들은 그들 나름대로 확인되지도 않은 이야기를 꾸며 내며, 그들 근처에서 점점 뒷걸음질쳤다.

"이봐, 헤스터!"

부인은 헤스터의 이름을 넌지시 불렀다. 그녀는 누군가가 자신의 이름을 부르자 옆을 돌아다보았다.

"아무리 생각해도 모르겠단 말이야. 앞서 지나갔던 딤스데일 목사는 겉모습만 봐서는 사람들의 평판처럼 대단한 사람이지."

"아주머니, 지금 무슨 소리를 하시는 거예요?"

"흠, 내가 무슨 소리를 하는지 모르겠다고? 숲 속에서 있었던 일을 잊은 건 아니겠지? 그런데 숲 속에서 나왔을 때 본 모습과 지금 얼굴은 너무도 달라져 있어. 헤스터, 당신도 아마 나처럼 느끼고 있겠지."

헤스터는 히빈스 부인의 난데없는 소리에 깜짝 놀라며 한 발짝 뒤로 물러섰다.

"숲 속의 일이라니요?"

그녀는 짐짓 모르는 체 이렇게 되물었으나, 자신들에게 얼마 전에 있었던 일을 마치 다 알고 있다는 듯 이야기하는 데 대해서는 놀라지 않을 수 없었다.

"사람들로부터 존경받고 있는 목사님에 대해 이상한 말씀을 늘어놓으시다니 듣기가 거북해요. 더 이상 그런 말은 하지 말았으면 해요."

히빈스 부인은 얼굴을 잔뜩 찌푸리며 불평을 했다.

"내 말을 믿지 않는군. 난 이 근처에 있는 숲을 내 집처럼 자주 다니지. 헤스터, 그런 얼굴로 전혀 모른다고 부정해도 소용없어. 자신들이 한 짓은 잘 알고 있을 테니까. 그래, 네가 한 짓은 그 주홍 글씨가 다 말해 주고 있으니까, 감출래야 감출 수가 없겠지. 어두운 곳에서는 그 표지는 밝은 빛을 내고 있으니까. 하지만 저 목사는 사람들에게 숨기려고 작정하면 아무도 알 수가 없지. 난 저 목사가 왜 가슴에 손을 얹고 다니는지, 알아내려고 하면 다 아는 수가 있어."

그 때까지 히빈스 부인의 이야기를, 귀를 쫑긋 세우고 듣고 있던 펄이 앞으로 나서면서 재촉했다.

"히빈스 아주머니, 알고 계세요? 왜 저 목사님이 늘 가슴에 손을 얹고 다니는지?"

헤스터는 펄의 손을 끌어당기며 야단을 쳤다.

"펄, 지금 무슨 소리를 하고 있는 거니? 그만 입 다물지 못해!"

"꼬마 아가씨, 그게 무척 궁금한 모양이군. 때가 되면 알게 될 거야. 참, 아가씨는 나와 함께 숲 속에 가 보지 않겠어?"

"좋아요!"

펄은 히빈스 부인이 무섭기도 했지만 어쩐지 신나고 재미있는 일을 많이 알고 있을 거라는 생각에 얼른 대답했다.

"펄, 조용히 하지 못하겠니?"

히빈스 부인은 특유의 이상한 웃음을 웃어대더니, 그들 곁을 지나 어디론가 가 버렸다. 그 사이 교회에서 진행되는 의식이 차례대로 지나갔다. 드디어 사람들이 기다리고 있던, 딤스데일 목사의 축하 연설이 시작되었다.

'아, 목사님의 목소리로군.'

헤스터와 펄은 사람들로 꽉 찬 교회당 안에 들어갈 수가 없었다. 겨우 광장의 처형대 밑에 자리를 잡았다. 거리가 멀어 연설 내용을 다 알아들을 수는 없었지만, 목사의 특징 있는 목소리를 통해 대강 무슨 내용인지 알 수 있었다. 헤스터는 잘 들리지 않는 소리였지만, 열심히 귀를 기울였다. 그 설교는 그녀에게 어떤 의미를 던져 주었다.

만약 그 설교 소리가 확실히 들렸다면, 자신이 상상하고 있는 것에 도리어 방해를 받았을지도 몰랐다. 목사의 목소리에 힘이 들어가면 그녀의 상상력도 점점 풍부해져 가고, 말이 사그라지면 그녀 역시 안정되었다. 목사의 설교가 사람의 마음을 흔들어 놓을 정도로 대단한 힘을 가지고 있는 것은 사실이지만, 헤스터만이 느낄 수 있는 슬픔도 묻어 있었다. 이 고뇌어린 표현력 또한 이제까지 다른 목사들에게서 들을 수 없었던 것이기도 했다.

"딤스데일 목사님의 연설은 마치 자신의 몸을 불사르고 있는 것 같아."

연설을 듣고 있던 한 신도가 소리를 죽여 옆에 있는 사람에게 속삭였다.

"아, 정말! 내 마음속 깊은 곳에 있는 무엇인가가 꿈틀대고 있어."

"대단해! 어떻게 저렇게 여윈 목사님의 몸에서 폭발할 듯한 연설이 흘러나오는지 모르겠어."

그 곳에 모인 사람들이 감동의 물결로 숨을 죽이고 있는 사이에도, 목사의 연설은 계속되었다. 어떤 때는 그 목소리가 교회당의 벽을 뚫고 지나가지 않을까 하는 걱정이 될 정도로 불을 내뿜었고, 어떤 때는 차가운 얼음처럼 냉정해지기도 하면서, 사람들의 마음 깊은 곳까지 파고들고 있었다.

목사의 연설이 감동적인 또 다른 이유는, 사람들에게 감동을 주기 위한 교훈적인 내용이 아니라, 가슴 깊숙한 곳에서 우러나오는 자신들의 이야기란 것이다. 그 동안 헤스터는 꼼짝도 하지 않고 서 있었다. 그녀는 목사의 연설과, 자신의 과거의 일을 함께 떠올리면서 생각에 빠졌다.

'내게서 멀게만 느껴지는 목사님은 영영 나를 떠나는 것은 아닐까? 우리의 약속은 어떻게 되는 걸까?'

엄마 곁에 있던 펄은 이제 주변이 익숙해지자, 혼자서 광장을 이리저리 돌아다녔다. 아이는 마치 어둡고 무거운 숲 속을 환하게 비추고 있는 반딧불과 같았다. 헤스터가 연설에 빠져 있는 사이에, 펄은 무언가 새로운 것이 있으면 그리로 달려갔다. 눈에 띄는 것이 보이면, 그 물건을 뚫어져라 바라보고 서 있었다. 마을 사람들은 펄의 모습에 저마다 한 마디씩 했다.

"어머, 저 아이 좀 봐. 어쩜 저렇게 깜찍할까?"

"그러게. 꼭 이야기책 속에 나오는 요정 같기도 하고, 아이들이 좋아하는 예쁜 인형 같아."

"어디 볼이라도 만져 볼까?"

광장에 있던 아주머니가 펄의 빨간 양볼을 만지려고 하면, 펄은 그새 도망가 버리고 없었다. 펄은 다른 사람들이 자신의 몸을 만지는 것을 매우 싫어했다. 아마 어려서부터 사람들과 어울린 적이 없었기 때문이었을 것이다. 하지만 어떤 사람들은 펄의 앙증맞음과, 말로 표현할 수 없는 매력은 분명 사람에게서 느낄 수 있는 것이 아니라, 악마의 기운을 받고 태어났기 때문이라고 말하기도 했다.

펄은 먼저 인디언들이 있는 곳으로 달려가서 그들의 옷차림을 유심히 살펴보았다.

'근사한데. 나도 저 옷을 입어 보고 싶은걸.'

마음속으로 이렇게 생각한 펄은, 인디언들의 옷을 살짝 만져 보았다. 이를 눈치챈 인디언이 펄에게 눈길을 돌렸다.

"호, 참 귀여운 꼬마군."

그러자 펄은 잽싸게 사람들 틈으로 몸을 숨겼다. 그 다음, 펄의 눈에 띈 사람은 뱃사람들이었다. 바다의 야만인인 그들은 펄의 활발한 모습을 보고는 마음에 들어했다. 이들 중 조금 전 헤스터와 이야기를 나누었던 선장이 펄을 잡아 안으려고 했다. 아이는 자신을 잡으려는 낌새를 눈치채고는 막 도망가려고 했다. 선장은 아이들을 다루는 법을 잘 알고 있었다. 자신이 가지고 있던 모자 장식을 펄에게 내밀었다.

"자, 이거 좀 봐라."

펄은 번쩍거리는 황금빛 장식에 온통 마음을 빼앗겼다. 선장은 헤스터 곁에 있던 펄의 모습을 기억하고 있었다.

"꼬마야! 내 부탁 좀 들어 줄래? 저기 보이는 주홍 글씨를 달고 있는 사람이 네 엄마지? 엄마에게 아저씨가 말한 것을 전해 주겠니?"

"글쎄요."

"네가 이야기를 잘 전해 준다면 이 장식을 네게 줄게."

"정말이요? 어서 말씀하세요."

"그럼 엄마에게 이렇게 전하렴. 네가 본 적이 있는지 모르겠다만 이곳의 의사 선생님과 다시 의논했는데, 엄마와 잘 알고 있는 분을 배가 있는 곳까지 모시고 가는 일을 의사 양반이 맡기로 했다. 간단히 말하면 네 엄마와 너만 배에 타면, 그 뒷일은 의사 양반이 책임진다는 말이다. 자, 내 말을 엄마에게 전해 줄 수 있지? 장난꾸러기 꼬마 아가씨야!"

"선장님! 나를 놀리는 말을 함부로 하다니, 제가 누군지 아세요? 사람들이 나를 마왕의 딸이라고 하는데, 난 뭐든지 할 수 있어요. 아저씨의 배를 단번에 바다에 빠뜨려 버릴 수도 있어요."

선장은 펄이 자기를 노려보면서 이야기하자, 그만 큰 소리로 웃고 말았다. 펄도 역시 씩 웃고는 광장을 가로질러 엄마에게 뛰어갔다.

"엄마, 저기 있는 선장님이 엄마에게 이렇게 전하래."

펄은 엄마에게 자신이 들은 이야기를 자세히 말했다. 헤스터의 눈빛은 점점 더 빛을 잃어 갔다.

'아, 간신히 빠져 나갈 수 있는 탈출구가 생겼다고 생각했는데, 또다시 우리들의 앞날을 막아서고 있구나.'

그녀는 몹시 실망하여 아무 생각도 들지 않았다. 그런데 갑자기 그녀 주위로 낯선 사람들이 몰려들었다. 그 날의 취임식에 참석하기 위해 다른 도시로부터 온 사람들인데, 그녀에 대한 소문을 듣고 마치 마녀라도 구경하듯이 신기해했다.

"저 여자 말인데, 무척 뻔뻔스럽지 않아?"

"남편을 두고 부정한 짓을 하고는, 저렇게 사람들이 많이 모인 곳에 얼굴을 드러내 놓고 나타나다니……."

이제는 끝났다고 생각했던 수군거림이, 다른 나라 사람들로부터 다시 시작되고 있었다. 선원들 역시 무슨 일로 이렇게 사람들이 몰려 있나 싶어서, 고개를 내밀고 그녀를 살피기 시작했다.

"무슨 구경거리라도 있소?"

결국 이 마을의 이방인인 인디언들조차도, 백인 여자의 주홍 글씨를 호기심 어린 눈빛으로 들여다보았다. 그녀는 갑자기 두려움과 무서움으로 다리가 후들거렸다. 예전의 그녀라면 오히려 당당했을 터였지만, 오늘은 그렇지 않았다. 곧 이 마을 사람들도 낯선 이방인들과 한패가 되어, 그녀 곁으로 몰려들었다. 아직도 그녀를 놀리고 비웃을 힘이 남아 있다는 걸 증명하기 위해서였는지도 몰랐다.

'아, 조금만 참으면 모든 게 끝난다고 생각했는데. 다시 7년 전으로 거슬러 올라가는 것 같아. 난 그 동안 저들을 위해 살아왔는데, 더 이상 저 사람들을 보고 싶지 않아.'

배신감과 함께 그녀는 그 자리에서 어쩔 줄 모르고 사람들에 의해 갇혀 있었다. 그 즈음 교회 안에서는 목사의 설교가 끝을 맺어 갔다. 사람들은 그들의 한 젊은 목사에 의해 웃기도 하고 울기도 했다. 그리고는 마침내 목사의 마술에서 풀려난 사람들처럼 자신의 자리로 돌아왔다.순간 고요가 그 곳을 감싸고 있었다. 그들은 일제히 일어나서 경의의 눈으로 목사를 바라다보았다.

교회 밖으로 몰려나온 그들은 목사를 칭찬하는 말을 쏟아 내고 있었다. 어디를 가든지 설교 내용에 대한 감동을 이야기하는 소리가 들렸다. 마음속으로는 느끼고 있었지만, 그것을 말로 표현함으로써 더 깊은 감명을 받기 위해 그들은 서로의 기분을 말하려 했다.

"조금 전 들은 설교만큼 가슴 벅찬 이야기를 들어 본 적이 없어."

"목소리는 분명 목사의 입을 통해 흘러나온 것이었지만, 그건 신의 소리였어."

"맞아, 나도 하느님의 계시를 들은 기분이었어. 한순간도 다른 생각이 들지 않았을 정도였으니까 말이야."

그 곳에 있던 또 다른 사람은 이렇게 말하기도 했다.

"오늘 목사님께서 이야기하신 주제는, 신과 인간과의 관계로 개척민들에 대한 것이었어. 하지만 주제와는 다른 느낌을 많이 받았어. 내 생각인지는 모르겠지만, 마치 죽음을 눈앞에 둔 사람의 마지막 호소 같아."

"자네도 그렇게 생각하는군. 마지막 순간에 인간은 가장 진실해질 수 있다는 말이 실감나는 연설이었어."

사람들의 이야기처럼, 목사는 다가올 죽음을 맞이하기 위해, 남겨진 사람을 위하는 심정으로 말 한 마디에 온갖 힘을 쏟아부었다.

"마치 천사가 하늘로 돌아가기 전에 어리석은 사람들을 향해 황금빛 진리를 뿌려 준 것 같군."

어떤 사람은 이렇게 최대의 찬사를 목사에게 보냈다. 그는 이제 이 곳에서 누가 뭐라고 해도, 목사로서는 최고의 자리를 차지했다고 할 수 있었다. 목사가 사람들로부터 환호를 받고 있을 때, 헤스터는 초라한 모습으로 주홍 글씨를 가슴에 붙인 채 처형대 밑에 서 있었다.

교회 입구에서 다시 음악 소리가 울려 나오고, 의장대의 화려한 모습이 나타났다. 이들은 다시 공회당까지 행렬을 한 후에 그 곳에서 오늘의 의식을 끝내기로 했다. 사람들은 높은 관리들이 광장으로 쏟아져 나오자, 가운데로 길을 터서 그들이 지나갈 수 있도록 해 주었다.

화려한 행렬이 지나가자 길 양 옆에 있던 사람들은 손을 들어 환호의 손짓을 보냈다. 그들은 내일이면 새 날이 열릴 것이라는 기대감과 함께, 오늘을 마음껏 즐기려는 뜻에서 마음껏 소리 질렀다. 그들은 조금 전에 연설을 한 목사의 모습을 그 행렬 속에서 발견하기 위해 고개를 빼고 둘러보았다. 하지만 그들은 이내 고개를 갸우뚱거렸다.

"저기 목사님 좀 봐! 꼭 쓰러질 것 같아."

"조금 전 그토록 힘찬 연설을 하신 분의 모습 같지가 않아."

"아마 너무 많은 힘을 쏟아부어서 그런가?"

사람들은 존경하는 딤스데일 목사를 향해 수군거렸다. 살아 있는 인간의 모습이라고는 할 수 없을 정도로 핏기 하나 없었다. 이제 그가 걷는다는 건 육체의 힘이 아니라 영혼의 힘이 살아 있기 때문이었다. 그 목사 곁에 있던 윌슨 목사가 다가와서 그를 부축하려 했다.

"괜찮습니다, 윌슨 목사님."

"이러다간 큰일나겠어. 어서 집으로 가야겠어."

하지만 목사는 손을 내저으며, 윌슨 목사의 부축을 받으려고도 하지 않았다. 앞장선 군악대의 행렬이 계속되고 있는 가운데, 목사는 처형대 근처에 가까이 가자 홀연히 발걸음을 멈췄다.

"아, 목사님이 이제 더 이상 못 걷는 모양이야."

"아니, 그런 것 같지 않아. 저 곳에서 일부러 멈춘 것 같아."

여러 관리와 목사를 잘 알고 있는 사람들은 그를 도와주려고 했으나, 그들은 주춤거리며 목사 곁에 가까이 가지 못했다. 많은 사람들도 무슨 일이 일어날 것 같은 예감에, 목사의 연설을 들었던 때처럼 숨을 죽이고 그의 모습을 지켜보았다.

"목사가 하늘을 우러러보고 서 있는 모습이 마치 하늘로 이끌려 올라가려는 것 같아. 하느님의 부름을 받고 말이야."

"만약 그런 일이 일어난다면, 우리는 기적을 지켜볼 수 있는 영광을 가진 거야."

두려움 반, 기대 반으로 목사의 모습을 지켜보고 있는 그들로서는, 목사의 다음 행동을 이해할 수 없었다. 목사는 처형대 쪽으로 몸을 돌려 세우더니, 누군가를 향해 두 팔을 뻗었다.

"헤스터! 내게로 오시오. 펄도 이리 온!"

헤스터와 펄을 바라보는 목사의 눈엔 애처로움이 가득했다. 하지만 사람들의 눈에는 애정과 편안함이 깃들어 있다고 느꼈다. 헤스터는 어리둥절한 표정으로 그 자리에 머물러 있었지만, 펄은 목사를 향해 쪼르르 달려가 무릎에 매달렸다. 펄의 뒤를 이어 무언지 모를 강한 힘에 이끌려 헤스터는 목사가 있는 곳을 향해 천천히 걸음을 옮겼다.

바로 그 때, 로저 칠링워스가 사람들 틈을 밀치고 앞으로 나섰다. 그는 이제 자신의 표정을 감추려고도 하지 않았기 때문에, 그의 얼굴은 악마의 모습과도 같았다. 의사는 목사의 팔을 세차게 흔들어 대며 작은 소리로 말했다.

"이제라도 늦지 않았소. 어서 저 여자와 이 아이를 보내시오. 그 뒷일은 내가 알아서 할 테니 걱정 마오. 이런 행동이 무슨 의미가 있어? 당신은 목사라는 신분을 잊어버리고 있는 거요?"

"흥! 나를 도와주겠다고? 이제 나는 네 장난질에 놀아나지 않을 거야. 이제 하느님이 나를 지켜 주실 거야."

목사는 의사의 눈을 외면하지 않고 똑바로 쳐다보았다. 그는 헤스터에게 손을 내밀면서 강렬한 말투로 고백했다.

"오래 전, 내 죄를 고백하지 못했던 일을 오늘에야 비로소 하게 됐소. 헤스터, 이리 와서 따뜻한 두 손으로 나를 잡아 주시오. 하느님의 뜻대로 당신의 강한 의지를 나에게 보여 주시오. 저기 저 의사는 우리들의 의지를 꺾으려 하고 있소. 하지만 당신은 나를 부축하여 저기 처형대 위로 데려다 줄 수 있을 것이오."

그 곳에 있는 사람들은 어리둥절하여 어쩔 줄을 모르고 있었다. 자신들의 눈앞에 무슨 일이 일어나고 있는지 믿을 수가 없었다. 높은 관리들도 가까이에서 목사가 하는 행동을 지켜보고 있었지만, 정확히 무슨 일인지를 파악할 수 없었기 때문에 아무런 조치도 취할 수 없었다. 사람들은 목사가 헤스터의 부축을 받아 처형대 위로 올라가는 모습을 바라볼 뿐이었다.

"저길 좀 봐. 목사님이 헤스터의 딸의 손을 꼭 잡고 있어."

"그 뒤를 따르고 있는 사람은 의사 선생이 아닌가?"

로저 칠링워스 역시 목사의 뒤를 따라가고 있었다. 그는 아직도 복수의 마음이 들끓고 있었는지 목사를 향해 비꼬았다.

"흥, 이제 당신의 자리를 찾아 올라가는군. 결국 이 세상 어디라도 내 손아귀에서 벗어날 곳은 이 곳말고 한 군데도 없어."

목사는 편안한 얼굴로 하늘을 우러렀다.

"하느님, 이제야 당신의 부름을 받았습니다."

중얼거리듯 한 마디 한 목사는, 연민의 표정으로 천천히 헤스터의 얼굴을 바라보며 입을 열었다.

"당신에게는 뭐라고 말해야 할지 모르겠어. 하지만 우리가 세웠던 계획보다는 이러는 것이 훨씬 낫지 않을까?"

"모르겠어요. 당신뿐만 아니라 나와 펄도 함께 죽어 버리는 게 나을 거예요."

헤스터는 거의 절망적인 말투로 흐느꼈다.

"펄과 당신의 운명은 하느님에게 맡겨요. 너그러우신 하느님은 당신과 펄을 잘 돌보아 주실 것이오. 당신이 알다시피 내 목숨은 얼마 남지 않았어. 부디 그 동안 내가 저지른 죄의 대가를 치를 수 있도록 도와줘."

양손에 헤스터와 펄의 손을 잡은 목사는 총독과 행정관, 동료 목사와 시민들을 바라다보았다. 처형대 위의 세 사람을 바라보는 사람들은, 자신들을 놀리고 있다는 생각보다는 무언지 모를 감동이 마음속에서 치솟았다. 잠시 후면 고뇌에 차 있던 지난날의 사건이 드러나려고 한다는 것을 알아차렸다.

태양은 처형대 위에 선 세 사람을 유난히 환하게 비추고 있었다.

"여기 모인 뉴잉글랜드 여러분! 이제부터 제가 하는 이야기를 잘 들어 주기 바랍니다."

그는 침착함을 잃지 않으려고 했지만, 목소리는 어느 새 떨리고 있었다.

"그 동안 저를 믿어 주신 여러분들 앞에 큰 죄인이 서 있습니다. 오래

전에 섰어야 할 자리에 뒤늦게 서게 됐습니다. 제 옆에 있는 이 여인의 도움이 없었더라면, 결코 이 자리에 오르지 못했을 것입니다. 이 여인이 7년 전부터 달고 있었던 주홍 글씨를 여러분들은 피하고 비웃었습니다. 하지만 헤스터는 그런 시선을 피해 안식처를 찾으려고 노력했습니다. 여러분들은 눈에 보이는 죄를 가진 사람에게만 가혹한 형벌을 내렸을 뿐, 숨어서 지낸 사람에게는 죄의 대가를 물으려고 하지 않았고, 관심조차 갖지 않았습니다."

목사는 점점 기운이 떨어져 가고 있음을 느꼈다. 더 이상 말할 기력이 없었다. 하지만 비밀을 밝히려는 목사의 의지는 대단한 것이었다. 그는 헤스터와 펄을 뒤에 남겨 둔 채 앞으로 한 걸음 나섰다.

"눈으로 보이지는 않는다고 생각했던 낙인이 저에게도 찍혀 있었습니다. 하느님과 천사들은 늘 그것을 지켜보고 있었습니다. 악마 역시 이 사실을 알고 저를 고통스럽게 했습니다. 악마는 인간의 모습으로 제게 다가왔던 것입니다. 저는 그 동안 여러분을 속인 채 이렇게 살아왔습니다. 죽음에 이르기 직전에야 여러분에게 이렇게 나타났습니다. 이제 헤스터의 주홍 글씨를 봐 주십시오. 여러분! 저 주홍 글씨는 내 가슴에 있는 낙인의 그림자에 지나지 않을 뿐입니다. 죄을 지은 사람에 대한 하느님의 심판을 인정하려 하지 않는 사람은 이 곳으로 와 주십시오. 자, 잘 보십시오."

곧 목사는 성직자의 표지인 넓은 깃을 떼어 냈다. 사람들은 좀더 자세히 보려고 두 눈을 크게 떴다.

"아니, 저건……."

"저럴 수가……."

그 순간 많은 사람들은 자신의 눈을 의심했다.

"도대체 뭐가 보였단 말이오?"

“글쎄. 워낙 멀리 있어서 나도 볼 수가 없었소.”

사람들이 웅성거리는 동안 목사는 심한 고통을 느끼고 있었으나, 자신의 승리에 기쁨을 만끽하고 있었다. 그는 곧 처형대 위에서 바람에 흔들리는 나뭇잎처럼 맥없이 쓰러지고 말았다.

“목사님! 정신 차리세요!”

헤스터는 쓰러진 목사 곁으로 다가가 그의 머리를 끌어안았다. 로저 칠링워스는 그 옆에 무릎을 꿇고 앉아, 넋이 빠진 모습으로 긴 한숨을 내쉬었다.

“휴, 이제 모두 끝난 건가? 결국 내게서 이렇게 도망치는군.”

간신히 정신이 든 목사는, 이렇게 중얼거리는 의사를 바라보고는 한마디 던졌다.

“당신의 죄를 용서해 달라고 하느님께 기도하겠소.”

목사는 이제는 마지막이란 뜻으로 사랑스런 펄과 헤스터를 향해 눈을 돌렸다.

“아아! 나의 딸.”

목사는 힘없는 소리였지만 애정이 가득 담긴 소리로 펄을 불렀다.

“펄, 이제 내게 숲 속에서 하지 않은 키스를 해 주겠니?”

아이는 목사가 시키는 대로 그의 입에 키스했다. 펄은 이 상황이 어떤 것이라는 걸 충분히 깨닫지는 못했지만 느낄 수는 있었다.

어느 새 펄의 눈에 눈물이 맺혀지는가 했더니, 금세 목사의 얼굴 위로 한 방울 떨어지고 말았다. 이 눈물은 앞으로 사람들과 어울려 살아가면서 기쁨과 슬픔을 안고 커 나가겠다는 다짐과 함께, 어머니를 도와 훌륭한 여성이 되겠다는 약속이었다. 이제 어머니의 마음을 상하게 하는 일이 없을 거라는 의미도 포함되어 있었다.

“헤스터! 그럼 잘 있어요.”

"이게 끝인가요? 다시 만날 수는 없나요? 함께 영원히 있을 수는 없단 말인가요? 우리는 그 동안 죄의 대가를 치를 만큼 치렀어요. 앞으로 저는 어떻게 해야 하는 건가요? 가르쳐 주세요."

헤스터는 목사에게 엎드린 채로 속삭였다.

"너무 슬퍼하지 말아요. 우리들의 오래 전부터 지금까지의 일을 잊지 말고 간직해요. 하느님은 모든 것을 알고 바라보고 있소. 하느님은 내가 고통을 겪도록 사악한 인간을 내 곁에 있도록 하고, 또 그것을 이겨 내도록 도와주셨소. 게다가 이 곳으로 나를 오도록 인도해 주시고, 영광스런 죽음을 맞도록 해 주셨소. 이런 것들 중 하나라도 빠졌더라면, 나는 죄의 구렁텅이에서 헤어나지 못했을 거요. 하느님의 뜻에 당신을 맡겨 두시오."

목사는 마지막 말을 남긴 채 숨을 거두었다. 그러자 그 곳에 모인 대부분의 사람들은 나지막하게 울음을 터뜨렸다.

뒷이야기

이 일이 일어난 지 며칠 후였다. 사람들은 그 날 보았던 목사의 마지막에 대해 여러 가지 이야기를 나누었다.

"아, 글쎄! 목사의 가슴에도 헤스터의 모양과 똑같은 주홍 글씨가 새겨져 있었다니까!"

이런 주장은, 헤스터가 주홍 글씨를 달고 감옥을 나온 그 순간부터 목사 역시 자신의 몸에 혹독한 고통을 가한 결과라는 것이었다. 또 어떤 사람은, 로저 칠링워스가 신비한 약초를 이용하여 특별히 만든 약으로 목사의 가슴에 표시를 만든 것이라는 주장도 있었다. 그 외에도 목사의 마음속 고통이 몸 밖으로 뚫고 나와 마침내 주홍 글씨를 만들어

낸 것이라는 이야기도 돌아다녔다.

그런 떠도는 이야기 중에 가장 일반적인 사람들의 의견도 있었다.

"처음부터 끝까지 한순간도 눈을 떼지 않고 목사님을 지켜보았는데, 난 아무런 표시도 발견할 수 없었소."

아무튼 그 후로도 이 일은, 사람들의 큰 관심거리가 되었다. 나중에 들리는 말에 의하면, 그 당시 목사는 헤스터의 주홍 글씨와 아무런 상관이 없었는데도, 자신의 죽음이 가까워 왔음을 알고 인간의 규제 따위는 보잘것없다는 것을 널리 알리기 위해 그런 행동을 보여 주었다는 것이다. 사람들에게 목사가 남긴 교훈은 진실된 생활을 하라는 것이었다. 죄는 숨길수록 점점 고백하기 힘들어지니, 죄를 고백하라는 것이다.

딤스데일 목사가 죽은 후, 로저 칠링워스라는 의사의 모습은 눈에 띄게 달라졌다. 복수를 행하는 것이 마치 자신이 지니고 태어난 임무라고 생각한 그는, 그 임무를 행할 대상이 사라져 버리자 이 세상에 있을 필요가 없었다. 그는 그 일이 있은 후 급속히 늙어 버린 것처럼, 그가 지닌 지식과 생명력이 한꺼번에 사라진 느낌이었다. 결국 그는 더 이상 이 세상에 머무를 필요를 느끼지 못하고, 목사가 떠난 지 얼마 되지 않아 세상을 떠나고 말았다. 그가 한 일 중에 다행이라고 생각되는 일은, 그의 막대한 유산을 헤스터의 딸 펄에게 남겨 주었다는 것이다.

펄을 악마의 손길로 태어난 아이라고 말하던 사람들은, 펄이 뉴잉글랜드에서 제일 가는 상속녀가 되었다는 소식에 놀라움을 감추지 못했다. 헤스터와 펄이 이 곳에 그대로 살았더라면, 아마 많은 변화가 있었을 것이다. 그전에 전혀 생각할 수도 없었던 청교도의 집안과 결혼을 했을지도 몰랐다. 그러나 로저 칠링워스가 이 세상을 떠난 후 얼마 되지 않아서, 헤스터는 펄과 함께 이 곳에서 그 모습을 찾아볼 수가 없었다. 그 후, 간간이 그들 모녀의 소식이 사람들 입을 타고 들려오기는 했

지만, 그리 믿을 만한 이야기는 못 되었다.

오랜 시간이 흐르는 동안, 광장의 처형대와 모녀가 살았던 바닷가 근처의 오두막집은, 마을 사람들이 가까이 가지 않는 곳이 되어 버렸다. 사람들 소문에 의하면, 단정한 예복을 입은 한 여자가, 그 동안 버려 두었던 오두막집 안으로 들어가는 것을 보았다고 한다. 그녀가 다시 그 곳에서 나왔을 때는 그녀의 가슴에 이상한 표지가 붙어 있었고, 잠시 그 곳에 서 있었다고 전해졌다.

"혹시, 그 여자 곁에 아이는 없었소?"

"아이는 본 적이 없다고 했소."

그녀가 이 곳을 찾았다는 소문과 함께 또 다른 소문이 나돌았다.

"우리들이 생각한 것과는 달리, 그녀는 이 곳에서의 생활을 잊지 못한다고 했다더군. 이 곳은 자신의 죄와 슬픔이 있는 곳으로, 참다운 생활을 했던 곳이라면서 말이야."

"나도 들은 적이 있어. 자신의 죄는 단지 시대와 지역이 만들어 낸 일종의 제약일 뿐이라고 이야기한다는군. 하지만 신여성이라면 자신의 인생을 진실되게 살아가야만 진정한 행복을 맛볼 수 있다는 것을 잊어서는 안 된다는 말도 함께 남겼다고 하는군."

그 후로 이 마을에는 이름 모를 무덤 하나가 만들어졌다. 묘지의 주인이 누구인지 알 수 없었지만, 거기에는 다음과 같은 묘비가 남아 있었다.

'주홍 글씨 A'

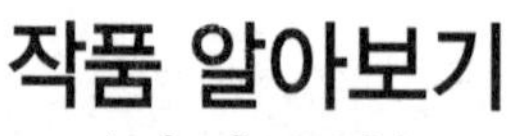

작품 알아보기
(장편문학)

〈**주홍 글씨**〉의 무대는 엄격한 청교도의 도덕률이 사회를 지배하던 17세기경 미국의 보스턴이다. 늙은 의사와 애정 없는 결혼을 한 헤스터 프린은 남편보다 먼저 미국으로 건너와 살고 있었다. 하지만 남편은 2년이 지나도록 아무런 소식이 없었고 그러는 동안 헤스터는 딤스데일 목사와 사랑을 나누게 되었다. 그 결과 헤스터는 임신을 하게 되고 그 사실이 마을에 알려지자 그녀는 간통죄로 공개 재판을 받는다. 간통한 벌로 공개된 장소에서 'A' 자를 가슴에 달고 일생을 살라는 형을 선고받지만 헤스터는 끝내 간통한 상대가 딤스데일 목사임을 밝히지 않는다.

공교롭게도 이 일이 있은 지 얼마 후에 남편 칠링워스가 돌아와 온 마을에 퍼진 아내의 이야기를 듣게 되고 복수심과 분노로 치를 떤다. 그러다 우연한 기회에 아내와 간통을 저지른 상대가 바로 딤스데일이라는 것을 알게 된 칠링워스는 헤스터 프린이 자신의 아내라는 것을 숨긴 채 딤스데일의 주치의가 된다. 양심의 가책으로 나날이 고통 속에 빠져 있던 딤스데일에게 칠링워스는 정신적으로 더욱 고문하고 죄를 고백할 것을 은근히 강요하기에 이른다.

작품 알아보기
(장편문학)

한편, 딤스데일은 헤스터를 사랑함에도 불구하고 목사라는 신분과 엄격한 청교도 도덕률이 무서워 자신이 헤스터의 간통 상대라는 것을 밝히지 못한 채 항상 죄의식에 시달린다. 그리하여 정신적으로나 육체적으로나 점점 쇠약해지지만 도덕과 사랑을 강조하고 하느님에 대한 순종을 호소하는 그의 설교는 나날이 신도들을 감동시킨다.
시간이 흘러 헤스터에 대한 주변 사람들의 반응도 점차 달라졌을 때, 그녀는 딤스데일에게 먼 곳으로 가서 새 출발을 하자고 간청하지만 딤스데일은 뉴잉글랜드의 경축일에 하느님과 모든 사람 앞에서 자신의 죄를 고백하고 쓰러져 죽게 된다.
기계 문명 속에서 에덴 동산과 같은 청교도적 낙원을 동경하는 19세기 미국인에 대한 강한 비판을 나타낸 이 작품은 미국인이 가진 완전한 세계에의 열망이 얼마나 위험한 것이며, 나아가 실현 불가능한 것인지를 독자에게 말해 주고 있다.

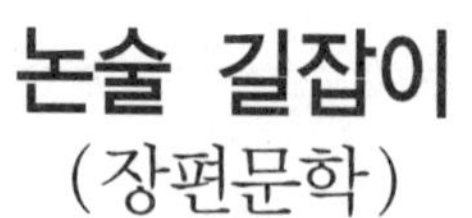

❶ 다음 그림은 헤스터가 갓난아기를 안고 처형대 위에 서 있는 장면이다. 그녀가 왜 이 곳에 오게 되었으며, 그녀의 자세는 어떠했는지 써 보자.

논술 길잡이
(장편문학)

❷ 다음은 딤스데일 목사가 마음속에서 부르짖은 한 대목이다. 글을 읽고 그가 심적 갈등을 일으킨 동기에 대해 써 보자.

> '여러분, 당신들이 보고 있는 나의 모습은 거짓이오. 하느님의 대변인이라고 알고 있는 나는, 큰 죄를 짓고 있는 죄인이오. 당신들의 아이들에게 세례를 베풀고 축복하며, 죽은 자를 위한 기도를 올리고 있는 나의 부정한 손을 믿어서는 안 되오. 나를 돌로 치고 발로 차도 아무런 할 말이 없는 죄 많은 사람이란 말이오!'

논술 길잡이
(장편문학)

❸ 다음 등장 인물의 말과 행동을 통하여 각자의 성격을 파악하고, 그 근거를 찾아 써 보자.

등장 인물	성　격	근거(말이나 행동)
헤스터 프린		
딤스데일 목사		
로저 칠링워스		
윌슨 목사		
펄		

논술 길잡이
(장편문학)

❹ 헤스터는 처형대에서 신문을 받을 때, 자기와 부정을 저지른 남자를 끝까지 밝히지 않는다. 그 이유에 대해 적어 보자.

❺ 헤스터는 마을 사람들로부터 갖은 멸시를 받으면서도, 딸인 펄을 끝까지 지켜 나간다. 펄에 대한 헤스터의 사랑과 자신에 대한 엄마의 사랑을 비교해 보고 쓰라.

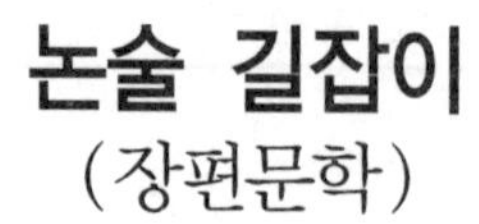

논술 길잡이
(장편문학)

❻ 로저 칠링워스는 왜 딤스데일 목사를 한집으로 끌어들이면서까지 괴롭혔는지 그 이유를 써 보자.

❼ 헤스터, 펄과 함께 유럽으로 떠나려던 딤스데일 목사가, 왜 갑자기 계획을 바꾸고 속죄의 길을 택하게 되었는지 설명하여 보자.

논 • 술 • 세 • 계 • 대 • 표 • 문 • 학 〈전60권〉

펴 낸 이 정재상
펴 낸 곳 훈민출판사
주 소 경기도 고양시 덕양구 원당동 416번지
대표전화 (031)962-3888
팩 스 (031)962-9998
출판등록 제395-2003-000042호